GUY DES CARS

La dame
du cirque

Éditions J'ai Lu

En vente dans les meilleures librairies

La dame
du cirque

GUY DES CARS

*Cette étrange histoire est dédiée aux humbles
de la piste et destinée à ceux qui l'ignorent.*

A l'heure où reparaît cette Dame du Cirque, *je te dois, ami lecteur, quelques confidences. Cet ouvrage, paru pour la première fois il y a déjà des années, fut le deuxième que j'aie publié et mon premier véritable roman. Son prédécesseur* L'officier sans Nom *était un récit de guerre vécu où la vie, avec son âpreté, s'était chargée de remplacer l'intrigue romanesque.*

Du roman, La Dame du Cirque *avait tous les signes extérieurs : l'héroïne principale était aussi folle que beaucoup de femmes, le héros demeurait un amoureux éperdu, la rivale était méchante... Le triangle immuable se débattait, page par page, dans le monde que parcourait un cirque ambulant. Certes, les classiques unités de temps et de lieu n'avaient guère été respectées dans cette histoire. Elles ne le seront* pas plus dans cette version définitive : pourquoi s'encombrer de règles quand le fil du récit n'en veut pas ? La seule unité qui fut et restera respectée est l'unité d'action : tout se passe dans le cirque, pour le cirque, par la faute du cirque... Et c'était la raison pour laquelle je pensais avoir écrit là un authentique roman.

Mais je n'en étais pas tout à fait sûr et j'ai soumis cette Dame du Cirque à une expérience cruelle à laquelle résistent bien peu de romans ! Vingt années après l'avoir écrite — et presque oubliée — j'ai relu mon histoire... Ce qui m'a permis de découvrir son principal défaut : si elle était construite, son style — ce travail de pion nécessaire — en était lâche. Il n'y avait plus qu'à tout récrire, ligne par ligne ! Mais comme j'avais encore un nombre impressionnant d'autres œuvres en chantier, il m'a fallu attendre. C'est la raison pour laquelle les innombrables — et combien sympathiques pour moi ! — lecteurs qui me réclamaient La Dame du Cirque ne la voyaient pas reparaître en librairie. La voici enfin. Je te la livre, ami, après y avoir mis tout mon cœur pour que sa lecture t'en paraisse aisée et agréable. Ai-je réussi ? Toi seul me le diras.

Si tu pouvais savoir quel travail ingrat c'est pour l'écrivain de se corriger lui-même impitoyablement, après tant d'années ! Il n'y a pas un de mes confrères qui ne te confiera qu'il

6

faut une sorte de courage surhumain et beaucoup de patience... Mais je te connais : tu es exigeant et tu as mille fois raison ! Tu as suivi, pendant les années écoulées, mes efforts pour atteindre peu à peu la forme que tu recherchais en moi. Tu m'as écrit, tu m'as encouragé, tu m'as critiqué... Tu m'as rendu service ! Comment pouvais-je mieux te remercier qu'en remettant sur le métier ce premier roman que tu avais eu la gentillesse de ne pas trop mal accueillir malgré ses défauts ?

Et maintenant, si tu l'avais déjà lu à sa première parution, je pense honnêtement que tu peux le relire sans crainte et si tu es de ceux qui n'ont commencé à me lire que depuis ces dernières années, lance-toi dans l'aventure de La Dame du Cirque en t'imaginant qu'il n'est pas possible que je l'aie écrite autrement lorsque je débutais...

SUR UNE VALSE

Un, deux, trois : sur un rythme à trois temps...
Vienne s'est réveillée, souriante, en cette mati-
née de 1930. Un, deux, trois. Et les jardins du
Prater arborent leurs couleurs du printemps.
L'allée cavalière bourgeonne.

— Voyons, Betsaïda ! Je t'interdis de trottiner sans cesse, comme cela... Mon père serait
furieux de te voir aussi capricieuse ! Tu veux
me faire gronder pour ma façon de monter ?

Betsaïda ne voulait rien entendre. La jument
alezane aurait pourtant dû se montrer conci-
liante avec une cavalière comme Michaëla qui,
malgré son âge, était déjà une maîtresse en l'art
délicat de l'équitation.

Michaëla avait vingt ans. Belle, élégante, son
aisance, sa désinvolture, attestaient la race,
témoignaient de son rang. N'était-elle pas la
fille unique du Baron Pally, l'un des plus grands

seigneurs de l'antique Hongrie ? Et ce privilège semblait suffire à lui donner le sentiment de sa souveraineté sur les êtres et sur les choses. Elle paraissait en jouir sans morgue, mais avec une grâce un peu hautaine à laquelle sa beauté, sans qu'elle s'en souciât, apportait un surcroît de noblesse.

Les Pally résidaient à Vienne depuis trois générations et ne retournaient sur leurs terres seigneuriales de Hongrie que pour la saison des chasses. L'hôtel Pally, à Vienne, était l'un des derniers à refléter les splendeurs poussiéreuses d'une capitale languissante.

Le Baron Pally était veuf. Tout son orgueil allait de sa fille à ses pur-sang.

Michaëla ne ressemblait guère à son père qui avait une stature imposante. Elle était menue, presque frêle... Ses cheveux blonds, ses yeux bleus — pas grands et un peu trop rieurs — sa peau très blanche, ses petites mains, ses chevilles fines, tout ce qui semblait faire son charme, n'en était que l'accessoire lorsqu'elle souriait. Un sourire indéfinissable, fait à la fois de douceur et de retenue, qui désignait chaque matin aux promeneurs, flânant sur le Prater ensoleillé, une future grande dame de Vienne... L'une de celles qu'on eût aimé voir ouvrir un bal de cour aux temps révolus de l'Empereur François-Joseph.

Betsaïda, toujours aussi capricieuse, continuait à trottiner.

— Excusez-moi, mademoiselle. Mais ce n'est pas ainsi qu'il faut vous y prendre si vous voulez obtenir un résultat ! Cette jument semble nerveuse... Encadrez-la d'abord fermement... Que faites-vous donc de votre talon ? N'oubliez jamais que l'éperon est un moyen de châtiment qui ne doit être utilisé que par coups brusques. Ne laissez pas votre éperon dans le poil ! vous risqueriez d'ajouter au châtiment une impression qui deviendrait suprêmement irritante si elle était prolongée. Rappelez-vous aussi que le mors ne doit pas venir au contact de la bouche, mais qu'au contraire c'est la bouche de votre jument qui doit être envoyée sur le mors par suite de l'impulsion de l'arrière-main...

Michaëla, retenant Betsaïda, s'était arrêtée, étonnée.

L'homme qui parlait avec cette assurance n'était plus tout jeune. A cheval lui aussi — sur un admirable anglo-arabe blanc, une bête de rêve — immobile, correct, il ne semblait faire qu'un avec sa monture : une véritable statue équestre.

— Pardonnez-moi, mademoiselle, d'avoir pris la liberté de vous adresser la parole sans vous avoir été présenté.

Et il se découvrit. Ses cheveux tondus ras faisaient paraître énorme son crâne. Un monocle, vissé à l'œil gauche, accusait l'éclat métallique du regard. Haut, large, il donnait une impression de puissance. Il était plutôt laid.

De sa voix rauque et gutturale venaient des phrases qui voulaient être polies mais qui restaient hachées en manquant d'aisance : leur tournure semblait trop cérémonieuse.

— Mon mon est Hermann Kier.

Michaëla était de plus en plus surprise.

— Puis-je savoir à quelle brillante cavalière j'ai l'honneur ?

— Michaëla Pally.

— Hongroise ? Je suis de Munich... Peut-être mon nom ne vous est-il pas inconnu ? Sans doute l'avez-vous lu sur les murs de votre belle capitale ou en placards publicitaires à la sixième page des journaux ? Mais vous avez parfaitement le droit, aussi, de ne pas apprécier la publicité ! Malheureusement il m'en faut, à moi, Kier... Hermann Kier... Le cirque géant Kier... Le mien ! Je l'ai fondé, je le dirige, je l'aime et je le promène à travers le monde.

— J'ai lu en effet un article sur l'une de vos représentations.

— J'ose espérer que vous daignerez honorer mon cirque de votre visite. Vous verrez comment Kier comprend le colossal.

Cela fut dit sur un ton pompeux et assuré. Un ton qui n'admettait pas le refus.

— Mais...

— Je sais... La haute société viennoise n'apprécie pas beaucoup le cirque. Elle croirait déchoir en se réunissant autour d'une piste ! Je crois sincèrement qu'elle se trompe. Pour vous, c'est différent ; n'êtes-vous pas une cavalière accomplie qui aime les chevaux tout autant que moi ? J'en présente une centaine chaque soir, sur mes trois pistes. Vous viendrez, vous les verrez, vous jugerez. Avec cette carte de moi une loge sera réservée à votre nom ce soir, tous les soirs, jusqu'à ce que vous compreniez... Amenez vos amis du Monde et faites-leur partager votre joie. Vous découvrirez le cirque chez moi et si mon spectacle vous plaît, vous me le direz demain matin ici, sous ces arbres, pendant votre promenade solitaire... Je me permettrai, avant de vous quitter, de vous poser une seule question : Pourquoi vous obstinez-vous à monter en homme ? C'est une véritable hérésie !

— Mon père l'a exigé. Il affirme que, ainsi, je peux mater n'importe quel animal...

— Monsieur votre père a tort. Avec vos longs cheveux, votre sourire de jeune fille et ces yeux d'enfant, vous êtes l'amazone idéale... Vous ne pouvez monter qu'en femme : c'est votre style ! Je vous vois si bien portant une jupe noire et un petit tricorne... Rien ne vaut ce qui est classique ! Vous n'êtes pas faite pour dompter des chevaux à la manière des cow-girls. Vous êtes une « Dame ». Ne l'oubliez jamais ! Vos montures doivent valser avec vous, être légères, parfaitement dociles, gracieuses aussi... Je voudrais vous voir sous les faisceaux pâles des projecteurs qui vous suivraient dans vos évolutions... Sur les gradins, la foule frémissante vous acclamerait ! Elle ferait de vous son idole puisque vous représenteriez pour elle à la fois la beauté de la femme et la fantaisie de Vienne... C'est ainsi que vous apparaîtrez un jour aux yeux d'un public ébloui, parce que Hermann Kier le veut...

— Enfin, monsieur...

— Je ne parle jamais à la légère, c'est une perte de temps. Et dans mon métier tout est chronométré... mademoiselle Michaëla — ne prenez pas cette attitude figée qui vous va si mal, si je vous appelle trop tôt par votre prénom... qui vous va bien ! — si vous daignez m'écouter, vous deviendrez un jour la plus belle écuyère du monde. Vous rendez-vous compte de ce que cela représente ? Un an de travail acharné d'abord, la gloire ensuite ! Vous avez l'étoffe nécessaire. Elle manquait à toutes les jeunes femmes que j'ai rencontrées jusqu'à ce jour. Ce matin, je suis certain de ne pas me tromper. Et vous serez formée par Hermann Kier ! Votre présentation sur piste sera « mon miracle ». Je serai votre unique professeur et vous perdrez toutes vos mauvaises habitudes... Baissez les talons, Michaëla... Les mains à hauteur d'appui, les coudes au corps, là ! C'est déjà beaucoup moins mal comme position. Nous arriverons à faire de vous une merveille... Au revoir, et à ce soir, j'espère ? Je ne pourrai pas vous parler, car je serai dans le rond de lumière et vous dans la loge. Mais un jour viendra où ce sera l'inverse : vous en pleins feux et moi dans l'ombre ! Ce soir-là, j'écouterai monter sous la tente l'admiration des autres, je contemplerai mon œuvre...

Et l'étrange cavalier s'éloigna au galop sans attendre la moindre réponse. Pour lui, il n'y en avait qu'une possible : celle que sa volonté exigeait.

Michaëla, ébahie et songeuse, dirigea machinalement Betsaïda sur le chemin du retour. Cet homme devait être un fou ?

Pour la deuxième fois cependant la jeune fille regardait le bristol : « *Hermann Kier, directeur-fondateur du Cirque Kier.* » Il n'y avait aucune adresse. Les nomades n'ont pas d'adresse, pensa-t-elle.

... Le déjeuner fut silencieux.

— Vous semblez soucieuse ?

— Pardonnez-moi, père... mais je pense à une foule de choses ! Croyez-vous qu'il puisse exister dans le monde des gens qui ne sont d'aucun pays et qui acquièrent la célébrité, en quelques jours, dans tous les pays où ils passent ?

— Cela doit être très rare parmi les honnêtes gens.

— Il y en a pourtant : les gens de cirque ! Ne trouvez-vous pas assez extraordinaire que des êtres semblables puissent vivre quand la plupart des hommes n'ont qu'un but : assurer leur existence sans se déplacer, en limitant leur horizon à l'étroit domaine de leur pauvre imagination ou dans le champ d'une médiocre activité ?... Père, je voudrais aller au cirque ce soir ?

— Vous savez bien, Michaëla, que je ne sors jamais le soir, depuis la mort de votre mère. Et j'ai ma partie d'échecs.

— Toujours ces échecs !

— Je ne dis pas que le cirque ne soit une distraction saine, un excellent délassement. Je regrette simplement qu'on y impose aux animaux, et aux chevaux en particulier, un travail qui ne leur convient pas. Je crois que le cheval n'a pas été créé pour amuser la foule par des danses ou par du pas espagnol. Je sais bien que nous possédons à Vienne l'Ecole de pas espagnol la plus célèbre du monde, mais ce n'est pas une raison pour utiliser son enseignement à des fins spectaculaires et encourager certains cavaliers à profiter d'une technique de dressage pour transformer leur monture en cheval de cirque ! On donne ainsi à ce noble animal des tics et des habitudes regrettables qui déforment sa beauté.

— Je ne le pense pas, père.

— Vous avez donc si envie que cela d'aller au cirque ce soir ? Dans ce cas, pourquoi ne pas vous y rendre avec votre fiancé ou quelques amis ? Il y a donc en ce moment à Vienne un cirque qui vaut ce dérangement ?

— Oui, père. Un cirque allemand : celui de Hermann Kier. N'avez-vous pas vu ses affiches sur tous les murs ?

— Je ne regarde jamais les affiches ! Elles mentent toujours, que ce soit pour annoncer les qualités d'un produit tapageur ou pour servir la publicité personnelle d'un homme politique. Mais surtout que cela ne vous empêche pas, Michaëla, de croire aux affiches bariolées qui vous vantent la beauté d'un spectacle ! C'est de votre âge d'aimer les couleurs...

Le cirque apparaissait gigantesque, en cette soirée de mai, sur la Place Impériale, avec ses huit mâts et son entrée illuminée qui aspirait tous les soirs dix mille spectateurs. Kier jouait à bureaux fermés, devant des salles combles, depuis des années, à travers le monde.

Dans les très grandes villes, il stationnait une huitaine de jours. Dans celles de moindre importance, il ne restait qu'un soir et drainait toute la population environnante, grâce à une savante organisation d'autocars. Le transport était compris dans le prix du billet jusqu'à trente kilomètres de la localité où le chapiteau avait été dressé.

Devant les guichets on faisait queue.

Des contrôleurs gantés de blanc, aux vestes

à brandebourgs, canalisaient le flot. Toutes les polices avaient dû intervenir pour éviter la bousculade.

Tous voulaient entrer chez Kier. Toutes les monnaies, tous les billets, toutes les pièces du monde, s'étaient déversés dans ses caisses.

Chaque soir, une camionnette blindée partait pour la banque où elle portait la recette de la représentation. Le problème de l'appoint monétaire était l'un des plus délicats, avec ces damnées taxes et ces maudits droits changeant au gré des municipalités et qui ne donnaient jamais un chiffre rond pour le prix du billet. Et, sur dix mille spectateurs, neuf mille n'avaient pas de monnaie ! C'était aux caissières de l'avoir, à proximité de la main, en piles, pour dix mille...

Le spectateur lisait au-dessus du guichet : « *Vos minutes sont aussi précieuses que les nôtres.* »

Kier avait tout prévu. Le hasard n'était pas son domaine. Il était pour l'aventure, mais une aventure soigneusement organisée.

Et l'immense cirque se remplissait, en moins d'une heure, d'une foule avide de sensations fortes, d'émotion ou de rire, désireuse surtout de découvrir, pendant trois heures, une existence différente de celle, banale et quotidienne, qu'elle vivait par routine.

Vienne, déjà prête à se laisser prendre à l'envoûtement du cercle de sciure dorée, voulait oublier sa misère...

... Michaëla attendait anxieuse, dans sa loge, au bord de la piste centrale, face à l'entrée des artistes : la meilleure de toutes les loges.

Les trois orchestres déversaient alternativement leur « musique de cirque », dont la facture immuable se retrouve dans tous les cirques du monde. Et l'odeur âcre des fauves se mêlait à celle des écuries. Les êtres et les choses en étaient imprégnés — cette odeur de cirque, inséparable de sa musique.

Michaëla souriait à toute la joie de vivre qui se dégageait de la piste.

Hans était près d'elle :

— Je trouve le parfum de cet établissement insupportable, Michaëla !

— Hans, ne me dites rien, voulez-vous ? Nous échangerons nos impressions plus tard, quand ce sera fini... ou quand il n'y aura plus de cirque ! Laissez-moi vivre un peu dans toute cette ambiance si nouvelle pour moi et tellement éloignée de notre existence mondaine !

Un flot de lumière sur les pistes venait de plonger les spectateurs dans l'obscurité. Seules les têtes des premiers occupants des loges — parmi lesquelles se trouvait celle de Michaëla — émergeaient de l'ombre.

Ce fut l'entrée de tous les clowns et « augustes de soirée » dans un indescriptible charivari : des corps qui se roulaient sur le tapis,

sautaient de la banquette dans la sciure, faisaient des grimaces aux enfants, lançaient des
boniments incompréhensibles à la foule, se bat-
taient comme des gosses, se mettaient en cercle pour se coiffer alternativement du même
vieux canotier défraîchi, faisaient des culbutes,
des sauts périlleux, des pyramides qui s'effon-
draient parce que le petit nain avait bien voulu
souffler dessus... Tout cela ponctué par des
claques et des cris, dans un nuage de poussière,
et sur les flons-flons de la *Marche de Souza*,
beuglée par les cuivres d'un orchestre écarlate,
dont le chef battait la mesure en tournant le
dos à ses musiciens — une mesure à quatre
temps quand la marche était à deux temps.
Ces chefs d'orchestre de cirques ne semblent
toujours s'intéresser qu'à ce qui se passe en
bas, très loin d'eux, sur la piste...

Un tintamarre de deux minutes, dont la durée était prévue comme celle des soixante numéros qui allaient se succéder simultanément
sur les trois pistes.

Michaëla, étourdie, ne savait déjà plus où
donner de la tête, s'il fallait regarder devant
elle, sur la piste de droite, ou dans les airs ?

Un roulement de tambour, suivi d'un accord
prolongé, servit de transition. La piste centrale fut envahie par une troupe d'antipodistes
français, à gauche ce furent des sauteurs arabes, à droite des contorsionnistes chinois, pendant que, dans les airs, trois troupes diffé-

rentes de « volants » se balançaient sur des trapèzes qui frôlaient la toile de tente. Les lampadaires avaient été remontés par des câbles invisibles, pour ne pas gêner ce travail aérien.

— Regardez, Hans, cette femme qui se balance là-haut, sans filet !

— Je ne peux pas voir ça !

Et Hans se plongea dans la lecture de son programme.

C'était un charmant garçon, Hans... Le plus adorable de Vienne. Il était jeune. Il était beau. Il était riche. Il portait un grand nom : Hans von Alberhat. Il avait tout ce qu'il fallait pour être heureux. Et il croyait aimer Michaëla... Ces fiançailles se prolongeaient depuis un an et le « Tout-Vienne » trouvait ce mariage « bien » ; un mariage comme il faut, qui ne choque pas les convenances et qui ne bouscule pas les vieux principes. Un mariage où il y aura foule à la sacristie et qui rendra trop petits les salons du Baron Pally pour contenir les cadeaux et la ruée vers le buffet.

Mais Michaëla est capricieuse, entêtée aussi, un peu trop fine pour trouver Hans intelligent ! Car il est bête, affreusement ! Il n'est pas très rassuré quand il voit une femme là-haut, sur un trapèze... Il n'a pas osé encore serrer Michaëla dans ses bras... Il craint d'avance l'émotion trop forte qu'il ressentirait si l'acrobate manquait le trapèze ; il croirait ridicule de témoigner à sa fiancée trop d'empressement... Ce sera pour plus tard, quand elle viendra se blottir d'elle-même contre lui. Mais cela ne viendra peut-être jamais, alors il attend...

A la valse lente des trapézistes avait succédé une mélopée orientale. Et ce fut l'entrée d'un troupeau gigantesque d'éléphants qui marchèrent sur des grosses boules, se tinrent en équilibre sur des baquets et dansèrent lourdement avec des clochettes attachées à leurs énormes pattes.

Comme la foule, Michaëla frissonnait devant toute cette vie qui sortait du rond de lumière.

— A quoi pensez-vous, Michaëla ?

— Hans, savez-vous pourquoi il y a tant de monde sur les gradins de ce cirque ? Parce que tous ces gens sont dans le même état d'âme que nous, ce soir. Ce ne sont que des bourgeois, des timorés qui conservent dans leur cœur le regret de tout ce qu'ils n'ont pas osé entreprendre. Ils auraient voulu, pendant quelques instants de leur existence plate, être plus remarqués que leurs voisins. Ils rêvent d'extérioriser subitement leur personnalité et de ne pas rester ancrés dans leur routine. Mais ils en sont incapables ! Ils viennent s'asseoir sur les gradins d'un cirque pour voir des hommes et des femmes exécuter, chaque jour, d'admirables prouesses ! Des êtres qui nous étonnent et qui nous éblouissent, à l'intérieur de leur cercle de lumière, pendant que nous restons, les bras inertes, sur nos fauteuils, dans le noir...

22

Nous les aimons tous un peu, Hans ! Comme nous sommes des milliers ici à ne pouvoir déchaîner de l'enthousiasme, nous payons une place au guichet : elle nous donne le droit de nous associer mentalement au succès des autres. Quel est celui de nous qui, dans son enfance, n'a pas joué « au cirque » avec ses camarades, lorsque ses parents l'avaient amené la veille voir clowns et acrobates ?

« ... Ecoutez ces applaudissements, ces silences qui nous oppressent aux moments angoissants... Nous croyons courir les mêmes risques que l'équilibriste ou que le dompteur parce que nous avons montré notre porte-monnaie. Et à la sortie, quand nous nous retrouverons dans la rue, je vous dirai : « Hans, c'était merveilleux ce que faisait l'acrobate ! » Mais vous me répondrez...

— Oh ! ce n'est pas si fort que cela, Michaëla. Ces gens ont toujours été élevés dans ce milieu. Vous êtes stupéfaite sur le moment, mais après !

— J'étais sûre que vous me feriez cette réponse ! Si ce n'avait pas été maintenant, vous n'auriez pas pu vous empêcher de dire ces mots tout à l'heure... Et nous roulerons doucement dans votre belle voiture, en parlant d'autre chose : de la garden-party de demain, par exemple... Mais moi, Michaëla, je sais que je penserai toujours : « Quand je pourrai seulement faire la dixième partie des exploits de ces

23

gens simples, j'aurai enfin acquis une personnalité. » Ne croyez-vous pas ?

— Chassez toutes ces idées folles ! Décidément le cirque ne vous vaut rien.

Sur une valse de Vienne, n'importe laquelle, vingt-quatre étalons noirs avaient envahi la piste, en tournoyant lentement. Au centre, Hermann Kier, sur son anglo-arabe blanc du Prater, était le maître de ce ballet.

Hautain, cassant, magnifique dans son habit noir et sous son haut-de-forme, il faisait évoluer sa cavalerie sur un pot-pourri de tous les rythmes des bords du Danube. La foule, subjuguée, regardait en silence. Parfois, elle fredonnait ces airs qui étaient aussi les siens.

Cela dura cinq minutes. A peine le dernier étalon venait-il de disparaître dans l'entrée, poursuivi par le rayon d'un projecteur, que tout s'alluma. La foule délirait. Hermann Kier, impeccable, avait mis pied à terre, et saluait, raide et gauche, comme s'il n'était pas habitué au triomphe quotidien.

De petits poneys Shetland, aux longs poils, portant des pancartes sur le dos, avec ce mot qui veut dire tant de choses « entracte », firent un rapide tour de piste.

— Désirez-vous voir les fauves, Michaëla ? Moi je les adore !

Hans aimait tout ce qui avait l'air méchant et qui ne pouvait pas lui faire de mal : les barreaux marquaient la limite de son courage.

Michaëla restait immobile, perdue dans ses pensées.

Hermann Kier lui avait pourtant bien offert cette loge ? Il lui avait bien dit qu'il voulait faire d'elle la plus belle écuyère du monde ? Il savait parfaitement où elle se trouvait dans le cirque : la loge qu'elle occupait était la plus en vue, au bord de la piste... Il était passé plusieurs fois devant elle pendant son numéro, tantôt en valsant, tantôt au galop, toujours superbe de morgue et d'allure. Et cependant, il n'avait pas jeté le moindre regard vers elle ! Il semblait tellement absorbé par la parfaite exécution de sa présentation équestre, que ce qui l'entourait ne comptait plus. « Quelle différence, pensa Michaëla, entre les gens du cirque et ceux du théâtre ! Ici, ils n'ont même pas le temps d'être cabotins. »

— Vous venez, Michaëla ?

— Si cela vous fait un tel plaisir, Hans...

Elle se dirigea vers la ménagerie sans enthousiasme.

Au bras de son fiancé, elle se promena dans le dédale des tentes-écuries, des roulottes peinturlurées et des fourgons-ménageries. Espérant rencontrer Kier, elle se demandait comment elle pourrait l'aborder ? Une formule banale lui trottait bien dans la tête : « Votre numéro est parfait, monsieur Kier, et quel cirque ! » Mais la jeune fille savait d'avance que cette phrase s'étranglerait dans sa gorge et qu'il fallait absolument trouver autre chose avec un tel homme. Mais quoi ?

— Hans, vous avez le programme ?

Celui-ci, consulté et retourné, prouva que Hermann Kier ne repassait plus lui-même en piste dans la seconde partie du spectacle.

— Si nous rentrions, Hans ? Je suis fatiguée.

Dans sa voiture, Hans rayonnait.

— Vous voyez bien, Michaëla, que vous n'auriez pas dû venir dans ce cirque. Cette atmosphère poussiéreuse et populaire n'est pas faite pour vous. Demain, ça ira mieux et je vous amènerai au *Theater an der Wien* pour vous changer les idées. On y joue la nouvelle opérette de Lehar...

Le lendemain matin, Betsaïda caracolait à nouveau sous les arbres du Prater.

Elle ne s'écartait guère de l'allée où sa cavalière avait rencontré Hermann Kier.

— Betsaïda ! Je t'en supplie : fais un petit effort pour qu'il me trouve moins mauvaise qu'hier...

Toute la matinée se passa à dresser Betsaïda. Mais Kier ne vint pas.

— Alors, cette représentation ? demanda le Baron Pally en déjeunant.

— Etonnante, père ! Vous n'avez pas idée comme les chevaux y sont magnifiques et bien tenus. Le directeur du cirque est un cavalier extraordinaire...

— Que faites-vous ce soir, Michaëla ?

— Cela dépendra de mon fiancé.

— Et quand pourrai-je donner une réception pour annoncer officiellement votre mariage ?

— Plus tard... Il ne faut surtout pas que cela trouble votre partie d'échecs !

— Michaëla ! vous n'êtes plus la même depuis quelques mois... Vous semblez ne vous intéresser à rien de ce qui nous entoure, ni à toutes les joies de notre vie. Vous n'êtes donc pas heureuse ici ?

— Oh ! père.

— Je ne vous laisse pas faire vos moindres caprices ?

— Mais oui, père...

— Alors ?

— J'ai besoin de m'évader...

— Je ne saisis pas bien ?

— Vous ne pouvez pas comprendre ! Je sens que si quelque chose de nouveau, d'inattendu, se présentait subitement dans mon existence, je serais capable de toutes les folies ! Au fond — c'est horrible ce que je vais vous avouer, père — je ne me sens pas faite pour l'existence que je mène ici. J'ai l'impression étrange d'être venue au monde pour autre chose que ce que je fais en ce moment, c'est-à-dire rien...

— Romantique ?

— Serait-ce un si grand mal à une époque aussi pratique ?

— Raison de plus pour vous marier vite, Michaëla ! Votre mère était comme vous avant son mariage.

— Pauvre maman ! Vraiment, vous trouvez que je lui ressemble beaucoup ?

— Oui, à certains moments, quand vous ne réfléchissez pas. Et cela m'inquiète.

— Mais, père, c'est si bon de ne pas réfléchir quelquefois ! Une vie de luxe trop organisée, c'est fastidieux.

— Il y a des moments où je me demande même si vous êtes bien ma fille ?

— Moi aussi...

— Michaëla !

— Pardon, mais c'est plus fort que moi... Il n'y a qu'une chose qui m'intéresse : ma promenade matinale sur Betsaïda. En dehors d'elle tout m'ennuie ! Aller à un thé, m'occuper d'une œuvre, faire des arts d'agrément, jouer à la maîtresse de maison constituent pour moi de véritables corvées !

— Que voudriez-vous donc faire dans la vie ?

— N'importe quoi, si ça ne ressemble pas à ce que font les autres femmes !

— Il y a cependant des principes qu'une jeune fille bien élevée ne devrait pas essayer d'enfreindre ?

— Tous ces prétendus « principes » ne sont que de sinistres routines. Notre « société » viennoise en meurt. Cette discussion m'a ôté l'appétit. Pourquoi rester à table quand on n'a plus faim ?

— Par politesse, mon enfant.

— Je rêve d'être mal élevée ! Au moins c'est plus franc !

Elle s'enfuit brusquement de la salle à manger et croisa dans l'escalier Magda, sa femme de chambre.

— Laisse-moi ! J'ai besoin d'être seule. Je n'en puis plus de toutes ces discussions avec mon père. Il m'aime trop pour bien me comprendre. C'est terrible ! Il y a un abîme qui grandit de jour en jour entre lui et moi. Pauvre père !

Dès qu'elle fut dans sa chambre, elle se jeta sur son lit et pleura, sans même savoir exactement pourquoi. Elle se sentait malheureuse, seule... Elle revoyait surtout cet Hermann Kier sur son anglo-arabe et entendait encore résonner les paroles qu'il avait dites. En face se dressait la silhouette de son père, homme juste, dont les élans étaient cependant bridés par les préjugés d'une société sans cœur et sans mérite. Michaëla savait bien que son père l'aimait et ne demandait qu'à lui rendre son affection. Malheureusement, le « monde » serait toujours là, entre eux deux, pour les empêcher d'être tout à fait unis. Et cela lui faisait horreur, depuis des mois, des années déjà. Plus elle réfléchissait, plus elle se demandait si elle n'avait pas détesté son milieu social depuis qu'elle était toute petite. Elle ne se révoltait pas et devinait qu'il fallait choisir : ou continuer sa vie et être très malheureuse, ou s'évader tout de suite et essayer autre chose, n'importe quoi !

Machinalement elle prit le téléphone pour rompre la solitude : elle était dans sa chambre depuis plus de trois heures et son père n'était pas monté pour la consoler. Il ne venait jamais dans ces moments-là et préférait aller au club : c'est pénible de raisonner une enfant entêtée... Le Baron Pally n'avait encore jamais pensé que Michaëla pouvait avoir une envie insensée de devenir femme, non pas au sens physique pour se donner au premier venu, mais au sens moral, une femme qui vit...

Une voix était au bout du fil : celle du fiancé.

— Allô, Hans !... J'ai très bien dormi cette nuit, merci... Moi ? Non ! Pas de cauchemar de tigres... Au contraire, j'ai fait un rêve étonnant : j'habitais dans un cirque, et tout ce qui m'entourait, hommes, chevaux, fauves, était à mes pieds... Je devenais leur reine à tous, j'occupais les meilleures pensées des humains et je gardais pour moi seule l'amour des bêtes. C'était extraordinaire comme sensation ! Ce cirque — le mien — parcourait le monde avec mon nom peint sur ses roulottes, sur son immense toile de tente, sur ses affiches, partout ! J'étais célèbre, les plus humbles payaient à l'entrée pour venir m'admirer... Le réveil ? Oh ! Mon rêve ne s'est pas terminé quand Magda m'a apporté mon petit déjeuner. J'ai l'impression qu'il dure encore, qu'il durera toujours !

Hans, il faut absolument que nous retournions au cirque ce soir... Oui, je sais ce que je dis. Je dois voir la seconde partie du programme, tout le programme ! Je veux revoir les étalons magnifiques et les Chinois et la trapéziste ; ce sont déjà tous des amis. Vous m'accompagnerez, Hans ?... Vous ne voulez pas ? Tant pis ! Je demanderai à Rodolphe de le faire, où à ma cousine Kate. Au revoir. Je vous téléphonerai demain... Je ne vous en veux pas, vous ne pouvez pas comprendre...

La loge retenue le soir par Michaëla était la même. Rodolphe, un vieil ami de son père, l'accompagnait. Le lendemain ce fut le tour de la cousine Kate. Tous les amis ou parents de Michaëla passèrent dans la loge pendant la semaine : Michaëla était là tous les soirs. C'était toujours le même spectacle, toujours la même jeune fille, de plus en plus passionnée.

Tous les soirs, invariablement, Hermann Kier faisait son entrée en piste à dix heures. Son numéro était immuable dans sa perfection. Il serait vite devenu monotone pour tout autre que Michaëla, qui en découvrait peu à peu la véritable beauté. Pendant toute la journée, elle pensait au moment précis où, sur une valse, les étalons noirs feraient leur apparition. Et, chaque matin, elle retournait — sur Betsaïda — au Prater. Hermann Kier n'y venait toujours pas. Serait-ce vraiment un fou ou manquerait-il de parole ? Il lui avait pourtant promis...

La matinée était belle, mais Michaëla était triste, n'ayant même plus le courage de gourmander Betsaïda. Elle savait que le Cirque Kier donnait, le soir, sa dernière représentation à Vienne, avant de repartir, le long des grandes routes, vers d'autres publics, sous d'autres cieux.

— Bonjour, mademoiselle... Vous semblez tout étonnée de me retrouver ce matin ? C'est cependant normal. Je viens faire mes adieux. Je pars cette nuit avec mon cirque.

— Où allez-vous, monsieur Kier ?

— Dans votre pays d'origine, la plaine de Hongrie et Budapest. Une ville étonnante, n'est-ce pas ? Avec ses innombrables piscines et la multitude de ses clochers bizarres... Une ville aussi étrange que ses habitantes : des femmes étonnamment belles, les Hongroises. C'est du moins ce qu'affirme une vieille légende teutonne. Elle n'a pas tout à fait tort, ce matin, la légende...

— Pourquoi n'êtes-vous pas revenu ici les autres jours ?

— Je travaillais pour mettre au point une nouvelle présentation équestre. Cela prime tous les rendez-vous ! En revanche, il ne me déplaît pas que vous soyez venue : ceci prouve votre ténacité. Il en faut pour réussir dans notre métier. Je constate avec plaisir que Betsaïda ne

1

trottine plus et que votre tenue équestre a fait de sérieux progrès. Hermann Kier vous dit : « C'est bien. » Ça ne lui arrive pas tous les jours de faire des compliments ! Aussi je ne regrette plus de m'être échappé ce matin. Je n'ai même pas à corriger les devoirs que mon élève a faits toute seule... Car vous êtes déjà mon élève ! Ne niez pas, cela ne sert à rien. Vous avez écouté mes conseils dès notre première rencontre. Vous avez bien fait. Encore une fois mes félicitations et au revoir...

— Vous n'allez tout de même pas me quitter si vite ? Ne m'aviez-vous pas fait une offre ?

— Laquelle ?

— Mais de faire de moi la plus belle amazone du monde, tout simplement !

— J'y avais pensé en effet... Seulement j'ai réfléchi... Pour réaliser un tel projet, il y aurait une condition préliminaire indispensable : il faudrait que vous partiez avec nous et que vous quittiez immédiatement monsieur votre Père, votre vie inutile, votre luxe trop stable, pour celui plus vagabond que vous offrirait mon cirque. Vous le partageriez, d'ailleurs, avec mes cinq cents artistes ou employés... Il faudrait que demain au petit jour, quand le souvenir de mon établissement ne restera plus à Vienne que sous la forme de trois ronds de piste sur la Place Impériale, ou sur des affiches déjà jaunies, vous, Michaëla, ne soyez plus la fille du Baron Pally ! Il est nécessaire que Vienne vous perde et que le Cirque Kier fasse la conquête d'une jeune fille fermement décidée à devenir, par son travail, une créature de rêve... Une jeune fille saine et souveraine tout à la fois, qui a volontairement oublié son nom de famille illustre pour ne plus porter que son prénom très doux : Michaëla... Peut-être comprenez-vous, à présent, pourquoi j'ai réfléchi ?

— Vous n'êtes pas le seul. J'ai décidé de partir avec vous.

— Soit ! Venez ce soir assister à notre représentation d'adieux.

— J'ai été à toutes vos représentations.

— Mon spectacle vous plaît ?

— Il est admirable.

— Comment trouvez-vous l'ambiance de ma grande bâtisse ambulante ?

— Déjà un peu la mienne... Puis-je vous poser une question, à mon tour ? Vous ne m'avez jamais remarquée dans la loge que j'occupais tous les soirs, cette même loge que vous m'aviez offerte la première fois ?

— Je ne vous ai vue ni le premier soir ni les suivants. Je ne vois aucun spectateur puisque je ne les regarde jamais ! En piste, je ne m'occupe que de « mon » travail. Un grand principe que vous devrez appliquer si vous voulez réussir et obtenir la perfection dans votre numéro. Regarder les gradins, c'est sacrifier au public : il ne faut jamais le faire ! Quand votre numéro sera terminé, lorsqu'on vous applaudira et qu'on vous rappellera, vous saluerez la foule en prenant soin de conserver une attitude suffisamment distante pour que votre sourire ne paraisse pas dirigé vers telle ou telle personne de l'assistance. Pour un spectateur auquel vous feriez plaisir, vous en vexeriez des milliers d'autres ! Et c'est inutile.

— A ce soir, monsieur Kier.

— Réfléchissez bien pendant cette dernière représentation avant de me donner votre réponse définitive.

— Ici ?

— Non.

Il griffonna quelques mots sur une carte, salua poliment et s'éloigna ; il estimait avoir tout dit. Elle enfouit la carte dans une poche de son talleur, éperonna Betsaïda et prit une direction opposée.

Le parcours du Prater à l'hôtel Pally fut vite franchi. Betsaïda trottina un peu, mais Michaëla ne s'en soucia plus. Si ce n'eût été la crainte d'une chaussée glissante, la jeune fille aurait volontiers laissé Betsaïda, la bride sur le cou, rentrer ventre à terre vers les écuries paternelles.

Michaëla était follement heureuse ; sa joie éclatait sonore, martelée par le bruit des fers de la bête sur les pavés. L'écuyère aurait voulu crier son bonheur à chaque passant. Tous se retournaient, jeunes et vieux, avec le sourire que l'on garde en réserve pour accueillir quelque chose de charmant. L'apparition de Michaëla, rentrant chez elle sur son pur-sang, était d'ailleurs attendue par Vienne chaque matin.

La jeunesse dorée se penchait aux portières des cabriolets pour mieux admirer cette blondeur à cheval. Les petits employés, rentrant de leur travail pour le repas de midi, s'arrêtaient un instant, eux aussi. Dans les autobus les nez étaient collés aux vitres des fenêtres.

Ce matin, Michaëla régnait sur chaque rue où elle passait, le regard assez lointain. Mais l'atmosphère de la ville éveillée restait douce : Vienne était amoureuse de la jeune fille qui reconnaissait au hasard, beaucoup de visages... Ne serait-ce que celui de ce gros homme, à la face réjouie, perché sur le siège de sa voiture remplie de boîtes à lait qui s'entrechoquaient dans un joyeux tintamarre. Le laitier claquait son fouet au passage de la jeune fille pendant que son sourire semblait dire :

— Vous ne m'étonnez pas ! Je vous connais depuis longtemps ! Votre regard vainqueur, vos dents qui éclatent d'une blancheur comparable à celle de ce lait que je transporte, votre jeunesse, tout cela m'est familier ! Ne sommes-nous pas déjà de grands amis depuis le temps où je vous croise dans cette avenue ? Et cela deux fois par jour : quand vous partez, pour votre promenade équestre, je termine ma distribution et à midi, quand vous en revenez rayonnante, je ramasse mes boîtes. Alors nous

nous faisons un petit signe qui veut dire : « A demain matin ! »

Michaëla, qui restait l'enfant chérie d'une capitale où la femme a toujours été reine, semblait semer l'adoration sous les pas de Betsaïda. Vienne ne pouvait s'imaginer qu'un jour viendrait peut-être où elle perdrait « son » écuyère du Prater. Il est vrai que Vienne a rarement pris le temps de réfléchir...

Maintenant c'était le bonjour du facteur qui revenait de sa tournée, son gros sac délesté des lettres d'innombrables amoureux. C'était aussi la dentelière, qui enviait la belle demoiselle triomphante sur son cheval, mais cela sans aucune jalousie, comme l'on regarde passer une vision de rêve... Souvent, Michaëla avait très faim en rentrant de la promenade et faisait approcher Betsaïda du trottoir, devant la vitrine d'une pâtisserie dont l'enseigne portait cette inscription : *Chez le père Gunther.* Derrière la vitrine, la boutique apparaissait charmante, telle une bonbonnière où des vendeuses en bonnets tuyautés et en tabliers plissés bleu pâle, allaient et venaient, accortes et vives. Dès qu'elles apercevaient Michaëla, toutes sortaient :

— Mademoiselle, ce matin nous avons des brioches chaudes...

— Nous avons des babas...

— Nous avons des mille-feuilles !

Les plus douces trouvailles de la pâtisserie

viennoise étaient gardées, en cachette, chaque matin, pour la jeune fille qui mordait à belles dents, selon son désir.

La marchande de muguet s'approchait à son tour, souriante elle aussi... Et Michaëla continuait sa promenade, fleurie et heureuse, savourant avec délices les mille petits riens qui faisaient le charme quotidien de la capitale... Ivresse tempérée cependant par la nostalgie qui s'attache à un geste ou à un acte que l'on accomplit pour la dernière fois... Mais la jeune fille n'était pas triste : si elle savourait ces instants pour les graver dans sa mémoire, c'était sa manière à elle de dire adieu à la ville aimée, en plein soleil, du haut d'un pur-sang et à la face du monde...

Au bruit des pas du cheval, les fenêtres des immeubles, un peu rococo et charmants sous leur patine, s'entrouvraient pour laisser voir des têtes qui se faisaient de petits signes d'intelligence aux différents étages :

— C'est « notre » Michaëla ! Venez vite la voir passer...

Les fenêtres s'ouvraient alors toutes grandes, les rideaux gris perle étaient tirés : le plus humble habitant espérait qu'un peu de la radieuse jeunesse, s'exhalant de la jolie fille, pénétrerait ainsi jusqu'aux coins les plus sombres de son domicile.

Les voitures s'arrêtaient aux croisements, les

schupos perdaient leur rigidité et, dans les squares, les enfants abandonnaient leurs jouets pour voir passer l'écuyère pendant que les nurses chuchotaient :

— C'est la fille du Baron Pally ! La plus belle jeune fille de Vienne ! On dit qu'elle est fiancée avec un garçon très riche...

Les cancans allaient bon train sous les tilleuls bordant les avenues et dans lesquels un monde pépiant de moineaux et de pigeons s'arrêtaient de gazouiller ou de roucouler, lui aussi, au passage de Betsaïda.

Devant une église, une foule compacte regardait la sortie d'un mariage, pendant que les cloches sonnaient à toute volée. La mariée descendait l'escalier, lumineuse, au bras de son époux, pour aller vers une calèche fleurie de lys et de roses blanches. Un instant ses yeux s'arrêtèrent sur Michaëla qui passait. Les regards des deux jeunes filles se croisèrent, brillants de bonheur, reflétant une joie différente. Michaëla éperonna un peu plus fort Betsaïda ; elle ne voulut pas s'attarder à cette vision et seul le carillon, de plus en plus lointain, l'accompagna dans sa dernière promenade solitaire jusqu'à la sévère entrée de l'hôtel de son père...

— Allô ! Hans ? Vous ne voulez toujours pas me conduire au Cirque ? Ce soir, c'est la dernière représentation. Vous m'avez refusé toute la semaine et j'ai dû m'y rendre avec une personne différente chaque fois ! Oui, je connais le programme par cœur, mais je tiens à y retourner une dernière fois avec vous. N'êtes-vous pas mon fiancé ?... Ah ! Enfin ! C'est très gentil. Je vous attends à 8 heures.

La représentation déroula son faste habituel. Mais l'étonnement de Michaëla fut grand quand elle constata, à l'entracte, qu'une bonne moitié des roulottes et des tracteurs automobiles étaient déjà partis. Le déménagement s'opérait en pleine nuit, sans bruit.

Pendant que la deuxième partie du programme se donnait sur les pistes, la première — avec ses acrobates, ses clowns, ses éléphants — roulait afin d'être en place à temps pour la représentation du lendemain, qui aurait lieu dans une petite ville à plus de cent vingt kilomètres. La moitié du cirque dormait déjà dans les couchettes des roulottes, sur la route, pendant que l'autre retenait les derniers spectateurs de Vienne. Kier ne perdait pas une nuit, ne manquait pas un jour de représentation. Il ne le pouvait pas : ses frais étaient trop lourds. Il lui arrivait même, certains jours, de donner la matinée dans une ville et la soirée dans une autre quand aucune de ces villes ne comptait assez d'habitants pour alimenter deux représentations à bureaux fermés. La halte de huit jours à Vienne avait été une très longue étape. Kier n'aimait pas les longues étapes : il craignait de voir son cirque s'y engourdir.

L'orchestre attaqua la retraite. Michaëla se leva.

— Hans, je veux rentrer immédiatement !

— Michaëla, m'expliquerez-vous votre attitude ? Vous me suppliez huit soirs de suite de vous accompagner dans ce cirque. Je refuse sachant que cette atmosphère ne vous vaut rien. J'accepte uniquement aujourd'hui pour vous faire plaisir...

— Non, Hans ! Pas uniquement... Vous avez accepté parce que vous étiez soulagé à l'idée de savoir que c'était la dernière représentation à Vienne. Ce cirque est plus fort que vous, il a plus d'emprise que vous sur moi ; c'est un cirque qui vous fait peur ! Vous le détestez ! Et ce soir, vous avez tenu à vous rendre compte qu'il partait vraiment. Il plie bagages devant nous, Hans... Etes-vous satisfait ? Regardez la tente du cirque... Elle descend lentement, elle glisse le long de ses mâts dans le noir... Regardez ces hommes agrippés aux cordes, par paquets... Ce sont les monteurs tchèques, dans leurs bleus de travail ! Ecoutez comme ils peinent en silence. Ils soufflent, ils souffrent et ils travaillent au sifflet. Oh ! Hans, comme c'est passionnant ! Dans une heure, il n'y aura plus rien sur la place : ni spectateurs, ni gradins, ni barrissements, ni hennissements... Plus rien que les ronds des trois pistes au clair de lune... Toute cette fantaisie aura quitté notre vieille Place Impériale... Il ne faut pas m'en vouloir si je parais très exaltée ce soir, mais ce soir, je suis tellement heureuse ! Une vie nouvelle va s'ouvrir pour moi... Vous comprendrez mieux demain, ou beaucoup plus tard ! Et quand vous serez très âgé, vous direz : « Michaëla a bien fait. » Vous étiez peut-être encore mon fiancé quand je vous ai téléphoné cet après-midi, Hans, mais maintenant vous ne l'êtes plus. Ni vous ni personne ! Je n'ai plus de fiancé ! Je n'en veux plus ! Si je vous ai demandé de venir ce soir, c'est pour vous regarder et vous observer une dernière fois. L'ennui, c'est que vous ne résistez plus à un examen détaillé... J'ai voulu être honnête et tenter une dernière fois d'imaginer ce que pourrait être le bonheur avec vous, dans une vie factice. Quelques jours ont suffi pour me faire regretter notre année de fiançailles grises. Elles furent pénibles, nos fiançailles de jeunes gens du monde, Hans ! Ceux qui veulent s'aimer ne devraient jamais en connaître de semblables : des fiançailles qui tuent tout !

« ... Au revoir Hans... Donnez-moi quand même la main. Je prends un taxi... Rentrez bien gentiment chez vous, ou allez vous griser dans une boîte quelconque ; c'est l'habitude chez vous de terminer ainsi les soirées qui vous semblent un peu mélancoliques. Chacun sa manière ! Gardez vos habitudes, Hans... Elles vous vont si bien ! Je sais que vous n'arriverez pas à pleurer : vous êtes trop snob — et vexé comme tous les snobs! Tandis que moi, j'ai une folle envie d'éclater de rire! Alors, pourquoi se fâcher?

Elle s'en alla en courant. Il resta pendant quelques instants, éberlué, regardant instinctivement le cirque. La tente était descendue : on la roulait déjà sur des treuils qui grinçaient doucement dans la nuit. Seuls les huit mâts restaient encore fichés en terre, avec, entre eux, trois ronds de sciure éclairés par la lune.

— Allô! Hans von Alberhat? Ici le Baron Pally... A quelle heure avez-vous reconduit Michaëla cette nuit?

— Elle a voulu absolument prendre un taxi et m'a quitté après la représentation du cirque.

— Elle n'est pas rentrée hier soir et il est midi!... Tout cela est de votre faute, mon garçon! Je vous ai confié Michaëla; vous semblez avoir oublié qu'elle est votre fiancée?

— Mademoiselle votre fille n'est plus ma fiancée depuis hier minuit; c'est du moins ce qu'elle m'a expliqué en me quittant devant le cirque.

— Encore ce cirque!

— Toujours ce cirque...

— Je vais avertir la police.

— Est-ce bien utile de faire un scandale? Michaëla est capricieuse. Elle reviendra... Vous

43

verrez qu'elle ne pourra pas se passer de Vienne. Personne ne peut se passer de Vienne !

— Pour un fiancé de si longue date vous connaissez mal ma fille ! De toute façon, je ne vous félicite pas pour ce qui vous arrive.

Un déclic sec de l'appareil mit un terme à la conversation.

Le baron se mettait à table, quand une lettre lui fut apportée. Elle avait été trouvée par une femme de chambre sur la coiffeuse du boudoir de Michaëla. L'enveloppe portait cette simple indication : « *Pour remettre demain à mon père.* » Il l'ouvrit, la lut, la relut et demanda l'appareil téléphonique :

— Allô ! Hans von Alberhat ? C'est encore moi. Venez, mon ami. On me remet à l'instant une lettre de Michaëla. Je tiens à ce que vous en preniez connaissance.

Un quart d'heure plus tard le jeune homme lisait la lettre que le baron lui avait présentée sans rien dire :

Pardonnez-moi, Père, cette lettre dès le début. Dans une heure, celui qui se considère encore comme étant mon fiancé, viendra me chercher pour m'accompagner au cirque Kier. J'y retourne pour la dernière fois, ce soir en spectatrice. A minuit, quand j'aurai dit au revoir à Hans, je ne serai plus qu'un membre de la troupe du cirque. J'aime cette piste ! J'y trouve tout ce que m'a fait ignorer l'éducation que vous

44

avez voulu me donner : la simplicité, le tra-
vail, le goût de l'effort. Il y a une chose que
je dois cependant reconnaître : vous m'avez fait
adorer le cheval. Merci, père ! C'est lui qui
m'a menée au cirque... J'ai l'impression que je
vais enfin pouvoir assouvir des rêves de jeu-
nesse ou des désirs d'enfant.

Avez-vous souvenance que vous me faisiez
toujours accompagner, lorsque j'allais ou reve-
nais du couvent ? Le chemin de votre demeure
au couvent passait par le Prater. Deux fois
par jour j'ai vu, pendant des années, des en-
fants de la rue, qui jouaient à la marelle. Vous
ne connaissez peut-être pas ce jeu, père ? C'est
un jeu admirable avec des marques à la craie
sur les trottoirs et des dessins qui représentent
le ciel ou l'enfer... Jamais ma gouvernante ne
m'a autorisée à y jouer. « On attrape des ma-
ladies, disait-elle, à s'amuser avec ces enfants
des rues ! » Depuis, j'ai grandi, mais j'ai tou-
jours regretté de n'avoir pas joué à la marelle...
C'est terrible d'avoir une envie d'enfant insatis-
faite ! Je crois que je pourrai jouer un jour
à la marelle, à tout ce qui m'a été défendu
parce que c'était trop simple. Et cela se pas-
sera sur une piste de cirque...

Ne croyez surtout pas que je sois amoureuse
de qui que ce soit ! J'ai rencontré Hermann
Kier par hasard. Il a tout de suite deviné mes
goûts et m'a promis de faire de moi la plus
belle amazone du monde. Il ne m'a rien deman-

dé en échange. Il veut que je travaille. Il a raison. Je l'écoute à partir de minuit. Tout ceci
n'est que le goût de l'aventure, direz-vous ?
Peut-être, mais il y a tout de même quelque
chose de plus...

Nous ne pouvions plus vivre ensemble, sous
ces lambris dorés, vous et moi, dans cette
Vienne un peu lourde où mon cœur de jeune
fille étouffe ! Je ne pouvais plus mener cette
existence de poupée lasse qu'on promène dans
un certain monde, que l'on a tort d'appeler
« le Monde »... Le vrai, c'est celui que je vais
parcourir, avec tous ses hasards et ses personnages qui surgiront brusquement de l'inconnu
pour moi, m'applaudiront pendant quelques minutes, me demanderont peut-être des autogra-
phes et des photos publicitaires et disparaîtront
de mon horizon. Le contact vivant constituera
pour moi une vraie richesse !

N'avez-vous jamais songé, père, que pour chacun de nous, hommes et femmes, se présentent
des gens qui traversent notre vie alors que
nous ne soupçonnions même pas leur existence
quelques minutes avant ? Vous pouvez être assis dans un fauteuil de votre club, à cheval sur
l'un de vos pur-sang ou dans votre loge de
l'Opéra et vous regardez une femme qui passe... Aussitôt vous ressentez le besoin impérieux
de lui parler ou même de la connaître sans
rien lui dire — les paroles font s'évanouir
tant de rêves ! Mais la femme est passée... Elle

46

était accompagnée ou attendue! La cause de cette séparation trop rapide est toujours banale, stupide même! Et cependant! Elle vous a bien regardé, la femme! Il y a eu entre vous un contact immédiat, secret, indéfinissable... Ce sera tout entre vos deux êtres, pour la vie! Il n'y aura plus rien! Vous ne vous retrouverez plus jamais... Je crois sincèrement que l'ensemble de toutes ces femmes inconnues, auxquelles vous n'avez pas pu adresser une seule parole mais que vous avez adorées pendant un instant, constitue pour vous une Femme de Rêve qui s'est peut-être concrétisée dans le visage de ma Mère, mais ce n'est pas certain! Si ce fut une autre, ne vous a-t-elle pas semblé bien imparfaite et éloignée de votre idéal? Ceci, parce que vous avez trop vécu dans le même cercle fermé, père!

Moi aussi, je vais vivre dans un cercle, celui de la piste. Mais ce ne sera pas que pour un travail que j'ai choisi délibérément. En dehors de lui et grâce à sa nature même, qui va m'obliger à errer à travers le monde, mon cercle moral sera beaucoup plus vaste! Et si j'ai le malheur de ne pas rencontrer l'être de rêve, recherché au hasard des voyages, j'aurai au moins la consolation rare d'avoir fait tout ce qui était humainement possible pour le découvrir. Au fond, j'aurai bien couru après mon bonheur...

Je n'ignore pas que, pour certains, le bonheur

47

est sédentaire mais je me sens incapable, à mon âge, de m'adapter à un tel genre de vie. Il me faut le mouvement et l'espace ! Il me faut surtout la grande aventure couronnée par une réussite. Serait-ce le sang des Magyars et de toute notre Hongrie natale, vagabonde et dominatrice, qui reviendrait en mon cœur ? Si j'avais été studieuse, je me serais plongée dans les livres, mais le travail intellectuel m'ennuie... Si j'avais été votre fils, je serais devenue marin pour courir les mers... Malheureusement je ne suis que femme... Terriblement femme avec mon ambition et ma volonté qui sont aussi grandes que les vôtres, père ! Oui, je suis avide de gloire, mais non pas de celle que semblent m'avoir apportée des ancêtres. Cette gloire-là n'existe pas ! Elle a été inventée par ceux qui ne sont pas capables d'en créer une qui leur soit personnelle.

Ce n'est pas non plus de ma beauté que je puis m'enorgueillir : je n'y suis pour rien ! A force d'entendre les autres me répéter que j'étais très jolie, j'ai fini par le croire et j'ai eu tort.

Il n'y avait qu'une phrase que personne ne m'avait encore dite : « Je veux faire de vous la Femme la plus extraordinaire du monde dans un certain domaine. » Si Hermann Kier a prononcé un jour ces paroles, c'est sans doute qu'il croit possible ce qu'elles expriment. C'est un homme fort, il réussira. Voilà pourquoi je

suis partie... Vous voyez, père, vous ne pouvez
plus m'en vouloir... Ne manquez surtout pas
ce soir votre partie quotidienne d'échecs et
promettez-moi surtout de dire tous les matins
un petit bonjour de ma part à Betsaïda. Pau-
vre Betsaïda ! Qui la montera le matin sur le
Prater ? Je vous embrasse pour très longtemps,
Michaëla.

— Qu'en pensez-vous, mon ami ?

— ... Que votre fille est majeure et que ni
vous ni moi ne pourrons aller contre sa volonté !

— Ne l'aimeriez-vous plus ?

— Je l'aimais comme on peut aimer une
fiancée...

— Et vous ne tenterez rien pour la reprendre ?

— Les gendarmes ne peuvent pas me la rendre ! Notre police a beau être la plus complai-
sante de la terre, nous ne pouvons lui demander l'impossible : ramener une jeune fille là où
elle ne veut plus vivre !

— Je commence à croire que Michaëla a
bien agi en vous quittant ! Son seul tort a été
d'abandonner son père... Je vous garantis que
si je vais la rechercher, ce ne sera certainement
pas pour vous la rendre !

— Et comment vous y prendrez-vous ?

— Ce sera simple : je vais d'abord laisser
s'écouler un bon mois pour que Michaëla ait

tout le temps de juger à leur juste valeur les gens au milieu desquels elle va se trouver ! Puis je me renseignerai sur l'itinéraire du cirque pour le rejoindre lorsqu'il s'installera dans une ville à peu près civilisée. Vous pouvez être certain que, alors, Michaëla sera dans la joie de me revoir, après toutes les privations et les vexations qu'elle aura subies dans ce monde extravagant ! Elle sera rassasiée de cette existence inconfortable et rentrera avec moi par le premier sleeping pour Vienne.

— J'en accepte l'augure, fut l'adieu poli et distant de Hans von Alberhat, le plus charmant garçon de Vienne.

La représentation, immuable, battait son plein pour les débuts du cirque Kier à Budapest. La marche de Souza et le charivari monstre ne parvenaient pas à dérider M. le baron Pally, installé seul dans une loge ; il l'avait louée en entier, pour être à son aise. A 10 heures précises, sur une valse, les vingt-quatre étalons noirs firent leur entrée avec Hermann Kier sur son anglo-arabe blanc.

— Il est aussi âgé que moi ! fut la seule réflexion intime du baron.

A l'entracte, il se fit annoncer au Directeur, qui le reçut dans sa roulotte particulière :

— Le baron Pally ?... Hermann Kier.

— Monsieur, ma fille est chez vous. Je viens la chercher. C'est tout. Il y a cependant une chose dont je m'étonne : c'est qu'elle ne parade pas sur vos pistes et qu'elle ne soit même pas annoncée sur votre programme ! Telle que je la connais, elle doit être horriblement vexée. A moins qu'elle ne vous ait déjà faussé compagnie ? Ce qui ne me surprendrait pas ! Michaëla est capricieuse... Vous ignorez sans doute aussi qu'elle est une jeune fille sensible, délicate, qui a dû souffrir de cette promiscuité avec des saltimbanques.

Hermann Kier respira un peu plus fort que d'habitude et ajusta son monocle avant de répondre :

— Permettez-moi de vous faire remarquer, monsieur le Baron, qu'il existe la même différence entre des « saltimbanques » et mon établissement qu'entre vous-même et vos gardes-chasses. Cette première mise au point étant faite, je vous confirme que si votre fille appartient en effet à ma troupe, elle n'est pas encore digne de s'exhiber en public.

— Comment ?

— Je possède, monsieur, le plus beau cirque de l'époque, avec ce qu'il y a de mieux au monde dans les genres de numéros. Michaëla a beau être une charmante jeune femme, intelligente et docile, elle ne reste qu'une débutante. Pour le moment, elle doit se contenter d'être mon élève.

— Votre élève ? C'est suffocant !

— Ne suis-je pas son maître d'équitation ?

— Je l'ai été avant vous, monsieur !

— Vous fûtes certainement un excellent professeur. Nous pourrions même dire que vous avez bien « dégrossi » ses premiers pas à cheval. Vous lui avez donné une certaine assiette et de l'assurance en selle. Mais enfin tout cela n'est que de l'amateurisme...

— De l'amateurisme !

— ... et ne suffit pas quand on a la louable ambition de devenir la première écuyère de son temps !

— Dans un cirque !

— Surtout pas ! Je ne comprends pas bien cette aversion et ce mépris que vous semblez avoir pour les gens de ma condition ? Celle-ci vaut largement la vôtre, pour peu que l'on veuille réfléchir... Si Michaëla avait été ma fille, elle aurait eu le double avantage de posséder une dot très supérieure à celle que vous pourriez lui donner et d'avoir aussi un métier, celui d'écuyère.

— Ce n'est pas un métier, c'est un art, monsieur !

— Je suis ravi de vous l'entendre dire ! Aussi ai-je décidé — car je reste seul patron chez moi — de pousser cet art chez Michaëla jusqu'à la perfection totale... Pour y arriver, il me faudra une bonne année ; d'ici là votre fille ne paraîtra pas en public.

— En somme, monsieur, vous n'agissez que selon votre bon vouloir ?

— Selon le sien !

— Vous êtes devenu le manager de ma fille et vous ne la présenterez au gros public que le jour où vous estimerez qu'elle sera capable...

— Il ne s'agit pas d'elle, mais de son numéro qui doit être au point !

— Ma fille est devenue un numéro !

— Et pourquoi pas ? L'essentiel pour elle sera de porter sur le programme le numéro de la vedette ; elle l'aura grâce à moi. C'est plutôt flatteur pour vous...

— Puis-je savoir sous quel nom vous comptez la lancer ?

— Michaëla ! Rassurez-vous, monsieur le Baron ! Son illustre nom de famille n'ajouterait rien à la beauté de son apparition sous les projecteurs. Il la gênerait plutôt...

— Et où habite-t-elle ?

— Dans la roulotte automobile, très confortable, que je lui ai fait aménager. Peut-être vous la laissera-t-elle visiter ? Vous verrez que la décoration intérieure en est charmante avec un mobilier qu'elle a choisi et une salle de bains des plus spacieuses.

— Je n'ai pas le temps de plaisanter, monsieur. Voulez-vous me faire conduire ?

— Ah ! non. Je vous autorise à voir Mademoiselle votre fille demain matin, à 8 heures moins 10, avant son travail, sur la piste. Voici

53

ma carte ; elle vous permettra d'entrer. En ce moment votre visite serait néfaste : Michaëla dort... Je lui demande un gros effort physique dans la journée ; elle travaille sept heures sans interruption sous ma direction. J'ai exigé qu'elle en dorme douze.

— C'est insensé ! Alors c'est vous, monsieur, qui réglementez tout !

— Michaëla est sous contrat avec moi.

— Sous contrat ?

— Oh ! un contrat purement moral, mais sans doute plus durable qu'un bout de papier. Notre engagement est double. Puisqu'elle a pris celui de travailler et moi de la faire réussir, nous sommes bien obligés d'appliquer les méthodes qui conviennent.

— C'est bon. Je vois que je perds mon temps ce soir. Je la verrai demain matin ; prévenez-la.

Jamais le baron n'avait été aussi matinal. Lorsqu'il pénétra sous l'immense tente, vide de spectateurs, Michaëla était déjà en piste. Hermann Kier, au centre, une chambrière à la main, suivait ses évolutions :

— Non ! Appuyez sur la bride de gauche... doucement, mais fermement ! La main souple ... Ce cheval valse tout seul !

Le baron Pally resta un instant ébloui par la beauté du pur-sang monté par Michaëla... Betsaïda n'existait plus. Dès que Michaëla aperçut son père, elle fit approcher l'étalon de la banquette :

— Père, c'est très aimable à vous d'être venu me voir à Budapest, mais je n'ai pas grand temps à vous consacrer !

— Michaëla, êtes-vous folle de perdre ainsi votre jeunesse et de ruiner votre santé pour rien ? Mon enfant, je vous supplie d'être raisonnable.

— Je crois, père, que je le suis devenue le jour où je suis entrée dans ce cirque.

— Michaëla, enchaînons ! — Kier s'impatientait — je vous ai déjà dit que je ne voulais voir aucune visite pendant vos répétitions ! Excusez-moi, monsieur le Baron, je vous avais dit : 8 heures moins 10... Et il est 8 heures 4 !

— Vous, monsieur, il y a deux choses que je ne vous pardonnerai jamais : m'avoir volé ma fille et la faire monter en amazone !

— A l'avenir, elle ne montera plus que comme cela dans mon cirque, la seule manière qui lui convienne.

— Michaëla ! pour la dernière fois, revenez à Vienne avec moi...

— Non, père... Mon cheval s'impatiente, vous voyez !... D'ailleurs vous n'avez pas besoin de moi ; vous n'avez jamais eu vraiment besoin de votre fille. Elle vous flattait, c'est tout ! Et actuellement, je ne fais que manquer à votre orgueil !

Elle poussa vivement l'étalon vers le centre

de la piste. La voix sèche de Hermann Kier reprit :

— Cambrez davantage les reins. Bon ! Vous allez travailler pour la première fois en musique, comme je vous l'ai promis hier... Vous débuterez sur la valse. Mettez doucement votre cheval sur la valse... là... bien... pas trop vite !... Chef, vous y êtes ?

L'orchestre du cirque, juché au-dessus de l'entrée, avec ses musiciens en bras de chemise, entama une valse lente, banale.

— Attention, Michaëla... Comptez vos temps à haute voix et le mouvement du cheval sera dans la cadence. Comptez fort !

— Un, deux, trois ! Un, deux, trois ! répétait sans cesse Michaëla en tournoyant avec l'animal. Le baron Pally courait tout autour de la banquette rouge pour lui parler :

— Michaëla ! Vous rendez-vous compte de ce que vous faites en ce moment ?

— Moi ? Un, deux, trois... Parfaitement, père... Un, deux, trois... Moi ? Je travaille !

Elle était à nouveau au centre de la piste. L'orchestre semblait ne plus vouloir s'arrêter, Michaëla ne regardait pas les gradins. Elle appliquait le principe de Kier : on doit se consacrer entièrement à son numéro, à lui seul, et ne jamais sacrifier à la foule. A présent, pour Michaëla, le baron Pally appartenait au public...

DRESSAGE

L'écuyère et sa monture étaient épuisées de fatigue. La chemisette de Michaëla était détrempée ; la croupe du pur-sang fumait, ses naseaux écumaient, son poil brillait. Et, malgré cela, la voix de Kier répétait, implacable : « Recommencez ! » Jamais la voix sèche de l'homme, planté au milieu de la piste, la cravache en main, ne lâchait un simple « ça peut aller »...

Quand c'était très bien, Hermann Kier gardait le silence. Quand ce n'était que « bien », il fallait recommencer... Il y avait trois longues heures que Michaëla caracolait sur la même reprise, plaquée par les mêmes rythmes. L'orchestre, infatigable, reprenait toujours les mêmes mesures. Lorsque le chef frappait le pupitre de sa baguette, c'était sur un signe de Kier. Cela voulait dire qu'en bas, sur la piste, ça ne marchait pas...

Sur les gradins déserts à cette heure, tous ceux qui, dans le cirque, avaient un instant à perdre — c'est rare dans le métier où l'on travaille toujours pour se perfectionner — regardaient, curieux, en tenue de travail, eux aussi, sous de gros chandails et en espadrilles.

La banquette du rond central avait été enlevée : Michaëla travaillait sur les trois pistes réunies en une seule, immense. Son numéro serait en vedette pour capter l'attention de tous les spectateurs.

Chaque matin, dans les loges et sur les gradins, on murmurait depuis quelques semaines : l'opinion des connaisseurs qui, tous les jours, venaient constater les progrès et trouvaient qu'ils étaient lents. Certains même, parmi « ceux du métier », estimaient que Michaëla progressait à rebours.

— Le Patron a tort de s'entêter ! soufflait le nain Ulysse.

— Elle n'arrivera pas... C'est un numéro mort d'avance ! Ça sent trop l'amateurisme ou le Cirque Molier, surenchérissait un vieux clown parisien.

— Pourquoi diable s'acharne-t-il à faire travailler cette Viennoise ?

Et l'hostilité, doublée d'un sentiment plus grave, la jalousie de la beauté, augmentait. Elle courait vite, la rumeur imbécile et mauvaise, de la banquette aux écuries, des écuries aux roulottes, des roulottes à la caisse de l'entrée...

Michaëla devait être trop belle et trop racée pour eux tous, qui avaient décidé comme ça, un beau jour où personne n'avait réfléchi, que le patron perdait son temps... Il se fichait dedans, le grand Kier ! Et un homme pareil n'avait pas le droit de se tromper. La réussite ne permet pas un échec ou même un demi-succès ; il faut le triomphe continu. Qui donc se dévouerait pour le lui dire ?

— Voyons, Michaëla... Penchez légèrement le corps en avant. Vous êtes encore trop raide !

Trop raide depuis trois heures. Trop raide sept heures par jour, depuis six mois... Six mois qui avaient paru interminables à la jeune fille et inutiles aux enfants de la balle. Seul Kier s'était obstiné, avec son entêtement incroyable. Il avait son idée fixe : faire de Michaëla la plus belle écuyère du monde ! Il y arriverait envers et contre tous.

Depuis la première répétition, il avait étudié son élève, sous tous les angles du cirque : du centre de la piste et du plus élevé des gradins, pendant qu'elle soulevait sur son passage des nuages de sciure fine et que son talon martelait le flanc de l'animal avec l'éperon... Kier avait déjà découvert d'innombrables attitudes, une multitude de réflexes, dans cette amazone dont il allait être le véritable créateur. Pendant le travail, il la couvait du regard avec orgueil, presque avec tendresse.

Il était le seul d'ailleurs. Tous les autres rêvaient de la voir partir. Et leur refrain revenait, lancinant, inepte :

— Pourquoi avoir été chercher une femme étrangère à notre milieu ? Une femme « du Monde » qui ne vient ici qu'en Grande Dame ?

Ces gens simples avaient du mal à pardonner à Michaëla sa naissance. La jeune fille était pourtant douce, aimable avec tous. N'avait-elle pas des façons à elle de glisser gentiment à un camarade qui répétait dans un coin :

— Je voudrais tant pouvoir jongler comme vous. C'est merveilleux !

Et l'acrobate en maillot s'arrêtait net de jongler, désarmé par le charme, ahuri. Cette jeune fille blonde, échappée d'une autre sphère, était donc capable de comprendre ce qu'il faisait, d'apprécier son labeur à lui, le plus humble des jongleurs ?

Seulement, elle avait tort de leur dire « vous » : ils se tutoyaient entre eux. Seuls les grands numéros avaient le droit de se dire « vous ». Et Michaëla ne manquait pas d'aplomb de croire qu'elle atteindrait un jour la classe internationale ! Pour tous, elle n'était qu'une ambitieuse. Pour tous sauf pour Kier qui aimait et qui admirait cette volonté de réussir.

Le dressage de la belle et de la bête continuait quotidien, méthodique, routinier comme Kier. Et s'il y avait un léger progrès, personne ne le remarquait... Personne à l'exception de Kier, qui lui, savait... C'était une lutte de tous les instants entre l'homme de cirque mué en Grand Ecuyer et la Femme du Monde lâchée en liberté sur une piste. .

Michaëla était exténuée mais, comme les jours précédents, Kier demeurait impassible. Bien qu'il fît froid dehors, Michaëla ruisselait et les yeux de ceux qui la guettaient à la moindre faute n'avaient pas le temps de regarder le baromètre. Qu'importait à tous ces gens que ce fût déjà l'hiver et que le cirque eut planté sa tente à Milan, l'une des villes les plus glaciales de l'Italie du Nord ? La seule chose qui comptait dans le métier était le travail et non pas les saisons.

Michaëla sentait confusément que cette hostilité grandissante de ceux qui auraient plutôt dû l'encourager, gênait son travail. Si l'on se taisait sur son passage, à son entrée ou à sa sortie de piste, les chuchotements allaient bon train quand l'orchestre couvrait le bruit des voix : les pointes étaient lancées avec la plus grande prudence parce que Kier se trouvait au centre de la piste et avait l'oreille fine. Michaëla en souffrait mais ne pouvait pas répondre : chacun de ses critiques était expert dans sa spécialité. Elle avait affaire à des connaisseurs intransigeants et lorsqu'elle exprimait quelques doutes à Kier sur la bonne camaraderie des gens de cirque, il lui répondait invariablement :

— Mes artistes et mon personnel ne vous

jugent que sur la qualité de votre travail. C'est la loi de notre milieu. Actuellement, je sais que ce travail est ingrat, peu spectaculaire même pour les gens de métier comme eux. Malgré cela, il ne faut jamais vous décourager.

La période critique suivait celle de la première griserie du départ et de l'enthousiasme à Budapest, ville dont Michaëla ne se remémorait jamais le nom sans penser à sa dernière entrevue avec son père. Et, sur sa bête écumante, elle revoyait, en un éclair, l'hôtel de son enfance à Vienne, son boudoir gris et rose, sa coiffeuse où elle s'était tant de fois regardée dans la glace en se disant :

— Tu es jolie. Bien sûr. Mais il te faut autre chose !

Cette « autre chose », elle était venue la chercher dans un cirque... Aujourd'hui qu'elle avait « sa » piste, elle se demandait avec angoisse si elle était vraiment faite pour une pareille existence ? Alors tout vacillait dans son cerveau... Elle tournait, tournait dans la sciure. Inlassable. Comme une machine. Et la voix gutturale de Kier l'arrachait à ses pensées :

— Vous êtes distraite en ce moment. Vous ne vous appliquez pas. Employez votre rêne d'opposition au lieu d'agir avec la rêne directe. Recommencez !

Une voix qui ne se fâchait jamais. Une voix trop calme que Michaëla aurait aimée plus forte à certains moments, plus douce, presque câline à d'autres... Kier ne devait pas appartenir à la race des tendres ! Michaëla se sentait abandonnée moralement. Elle se retrouvait seule dans ce rond de piste qu'elle avait tant vanté à son père, quand elle pensait qu'il deviendrait, le soir de ses débuts, un cercle de lumière, la lumière de sa vie... Clarté sans doute un peu crue pour une jeune fille partie de chez elle sur un coup de tête, dans l'enthousiasme de ses vingt et un ans ?

Une fois encore, Kier ouvrait la bouche pour dire : « Recommencez ! » mais sa voix s'étrangla. Pour la première fois depuis des mois, Michaëla donnait des signes d'épuisement certain. Très vite, ce serait la défaillance morale et physique qui ne pardonne pas. Seule, la volonté de l'aristocrate qui n'a pas voulu flancher devant ses censeurs l'avait maintenue droite sur sa selle depuis le début de cette répétition mais ses doigts restaient crispés sur le mors.

— En souplesse ! dit Kier avec plus de douceur.

Il comprenait, lui aussi, que son élève ne devait pas s'écrouler devant les autres, qu'elle devait « tenir » coûte que coûte pour conserver un prestige déjà chancelant et il ajouta, à la stupéfaction générale :

— Excusez-moi, Michaëla... Chef, arrêtez l'orchestre ! Je me sens légèrement fatigué... Un petit malaise passager, ce ne sera rien... Je demande une demi-heure de pause. Puis, se tour-

nant vers les gens du cirque assis sur les gradins :

— Voyez comme c'est curieux, mes amis !
Ma jeune élève est infatigable et moi le professeur, je dois m'arrêter.. Si vous le voulez bien,
Michaëla, nous allons faire une pause et nous
reprendrons le travail tout à l'heure...

Un valet vint prendre le cheval par la bride.

Michaëla sauta à terre, éreintée, se tenant
avec peine sur ses jambes. La tête lui tournait ;
elle était heureuse tout de même, d'avoir « tenu », grâce à Kier. Elle le chercha partout. Il
avait déjà disparu.

Elle quitta à son tour la piste, pensive. Elle
était la seule à ne pas avoir été dupe du stratagème employé par Kier. Ce géant, qui l'avait si
souvent étonnée par sa maîtrise incomparable
sur lui-même et sur son entourage, venait brusquement de se révéler un homme capable de
comprendre la faiblesse d'une femme. Il l'avait
fait avec une extrême délicatesse en endossant
une fatigue imaginaire qu'il ne ressentait pas,
qu'il ne ressentirait jamais... Cet homme-là ne
serait jamais fatigué ! Il ne mourrait que très
âgé, quelque part sur une grande route dans sa
roulotte directoriale ou bien à cheval, pendant
qu'il présenterait ses étalons en piste...

Une étrange inquiétude envahissait la jeune
fille : Kier, le grand Kier, l'aimerait-il autrement qu'en statuaire amoureux de son œuvre ?
L'aimerait-il en homme tout simplement ?

Les artistes et employés présents avaient tous couru après Kier :

— Voulez-vous que nous prévenions le docteur ?

— Peut-être faudrait-il vous allonger ?

— Ménagez vos forces, Patron !

« Le Patron » était allé s'enfermer dans sa roulotte sans même daigner répondre à toute cette sollicitude tapageuse. Personne ne s'était préoccupé de Michaëla. La seule chose importante n'était-elle pas que Kier — l'âme de la grande maison ambulante — fût en bonne santé ? Le destin de tous en dépendait... Lui seul comptait !

La nouvelle de « son » malaise se répandit rapidement dans le cirque. De toutes les roulottes, de tous les fourgons, de toutes les tentes, on vint aux nouvelles. La seule cause véritable de cette fatigue subite ne pouvait être que le découragement devant l'impossibilité d'obtenir un résultat appréciable avec la Viennoise ! Cette « Demoiselle » n'avait qu'à retourner immédiatement chez son père et continuer à y mener la vie inutile pour laquelle elle avait été créée... Les femmes de ce genre ne sont pas nées pour sympathiser avec le dur labeur des gens de piste ! Et enfin, pourquoi prendrait-elle la place d'une fille de métier ?

Michaëla se dirigea, solitaire, vers les écuries. Elle adorait se retrouver ainsi avec les bêtes qui la comprenaient mieux que les hommes.

Toute la cavalerie du cirque était là, au repos, étalant ses robes superbes : les alezans brûlés, les petits poneys blancs, les lourdes juments de voltige prêtes à recevoir sur leurs croupes volumineuses une famille de jockeys ou de légères écuyères en tutus... Les vingt-quatre étalons noirs attendaient aussi, magnifiques, sans leurs plumets et sans ces brides qui les obligeaient à courber la tête sous les projecteurs...

Michaëla contemplait tout avec amour. Elle connaissait les chevaux par leurs prénoms. C'étaient ses amis : Sultan, Artis, Grand Duc, tous les autres, éternels errants abrités sous des écuries démontables. Et la jeune femme ne put s'empêcher de penser aux antiques écuries de l'hôtel du baron Pally à Vienne. Elles étaient lourdes, solides, stables, ces écuries, avec une tête de cheval en bronze surmontant le portail d'entrée. Les boules de cuivre y brillaient entre chaque stalle. La sellerie était étincelante avec ses parquets cirés et ses harnais sentant bon le cuir de qualité ; c'était le vieux cocher anglais, John, qui les polissait avec amour... Un cocher de grande maison, à la figure rougeaude, auquel Michaëla ne pouvait penser sans l'associer au petit groom qui lui présentait l'étrier quand elle sautait, légère, sur Betsaïda, à califourchon. Régulièrement, elle trouvait John en train de gourmander le groom :

— Je vous ai enseigné cent fois la manière de présenter l'étrier à Mademoiselle !

Le groom rougissait quand Michaëla lui disait, en éperonnant Betsaïda :

— Merci. Ne le grondez pas, John. Demain, il me présentera tout à fait bien l'étrier, n'est-ce pas, Sammy ?

Michaëla revoyait son père rentrant de sa promenade matinale dans son tilbury, attelé de deux magnifiques chevaux gris pommelé. A peine descendu de voiture, le baron Pally passait une inspection minutieuse des écuries. Comme Kier, il remarquait le moindre détail. Le baron mettait une pointe d'orgueil à pouvoir faire visiter ses écuries — les dernières de Vienne — aux plus jolies femmes de la terre. A toute heure, les invités devaient pouvoir se promener dans les écuries du baron sans y trouver la moindre trace de poussière. C'était la manie du propriétaire.

Kier, au contraire, attirait, dans les écuries de son cirque, la grande foule : « le populaire » qui a la curiosité du cheval, comme d'un animal qu'il ignore parce qu'il ne le comprend guère. Kier préférait étonner la masse qui paye pour visiter ou respirer l'odeur de ce monde merveilleux, que l'on devine du haut des gradins, vivant, mystérieux et grouillant derrière les rideaux d'entrée de la piste : les Ecuries !

Michaëla avançait lentement le long des stalles démontables en longeant la corde destinée à empêcher les visiteurs de s'approcher trop près des chevaux. Et, dans l'écurie sans peuple à cette heure, la jeune fille imaginait facilement le moment de la soirée où tout serait envahi. Le couloir central deviendrait alors un courant humain, qui déferlerait, tassé, compact, abêti, au coude à coude, avec les mères qui donneraient des morceaux de sucre à leurs enfants, pour qu'ils puissent les offrir, craintivement, le bras à moitié tendu, aux chevaux impatients et piaffants. Ensuite les gosses seraient rouges de plaisir comme s'ils avaient accompli un acte extraordinaire ; ils regarderaient leurs petits camarades éberlués par ce courage surhumain, le courage qui hésite à tendre un bout de sucre.

Et ce serait devant cette foule aveugle que Michaëla apparaîtrait un soir en piste. Elle en frémissait. Ce seraient ces moutons de Panurge qui la jugeraient ! N'aurait-elle pas mieux fait de préparer une présentation équestre, sur Betsaïda, pour les seuls amis de son père ou pour des jeunes gens du milieu social de Hans ? Pour quelques initiés, pour des gens de chevaux qui auraient été des privilégiés ?... Elle ne savait plus... Elle aurait voulu se raccrocher à quelqu'un, se confier... En supposant même que Kier l'aimât, il était incapable de comprendre des sentiments aussi intimes. Il fallait un homme plus fin, plus subtil. Ce n'était pas la faute de Kier, mais celle de ses origines. D'où venait-il, après tout, cet homme ? Michaëla n'avait jamais eu la curiosité de le lui demander. Du cirque ?... Ce n'était pas certain, car il dépassait tout de même le cadre du cirque.

Et pourquoi le baron Pally n'avait-il pas répondu aux lettres qu'elle lui avait envoyées régulièrement depuis six mois ? A chaque étape, elle lui avait donné des nouvelles de son travail et demandé sans succès les derniers potins de Vienne... Pourtant, depuis le temps, son père aurait dû comprendre que c'était sérieux, qu'elle ne perdait pas son temps ! Elle savait vaguement, par les cartes postales d'une amie restée fidèle — la seule, puisque le « Tout-Vienne » la prenait pour une folle — que son père continuait à faire sa partie quotidienne d'échecs. Elle avait appris également que Hans venait d'épouser sa meilleure amie d'enfance, Roselyne. Ce qui ne l'étonnait pas : les choses se passent souvent ainsi dans « le Monde »... Un snob dépité se marie très vite pour cacher sa honte. Tant pis pour Hans ! Roselyne était exactement la femme qu'il ne lui fallait pas, la femme-poupée sans personnalité. Tout cela, au fond, n'offrait plus un grand intérêt depuis que Michaëla avait tiré le rideau, un soir à Vienne, sur cette tranche de son existence. Pourquoi le soulever à nouveau ?

Elle quitta les écuries, où seuls les coups de pied des chevaux dans les bat-flancs et le raclement du foin arraché aux râteliers troublaient le silence de la matinée, pour se rendre au bar qui était désert à cette heure. C'était un bar démontable, lui aussi, comme tout chez Kier !

Seul personnage vivant derrière le comptoir, un vieil employé à la chemise douteuse, la casquette à carreaux sur le coin de l'oreille, le mégot perpétuellement éteint au coin de la lèvre, rinçait des verres : d'innombrables « quarts » et « demis » vides, aux parois mousseuses. Ne faudrait-il pas ce soir servir, pendant l'entracte, plus de mille consommateurs assoiffés, en quelques minutes ? Ce serait la ruée d'une foule en nage s'évadant de la grande tente pour s'y replonger ensuite. Une foule qui n'aurait qu'une phrase à la bouche :

— J'ai soif...

Le vieux plongeur regardait la jeune fille, de temps en temps, entre deux coups de torchon dans ses verres :

— Pourquoi êtes-vous triste, mademoiselle ?

Elle regarda à son tour l'homme, stupéfaite, ne réalisant même pas comment un personnage aussi modeste pouvait dire brusquement des mots pareils, derrière son comptoir : « Pourquoi êtes-vous triste ? »

Il avait de bons yeux, ceux d'un raté de la vie qui avait peut-être frisé le succès ? Un regard las aussi d'avoir sans cesse contemplé un rêve jamais réalisé parce que la chance s'était toujours dérobée.

— Je sens que vous avez envie de pleurer,

70

reprit l'homme sans trop relever la tête. Il ne faut pas mademoiselle! La vie s'annonce belle pour vous...

Elle ne répondait pas.

— Surtout ne désespérez jamais! Ça vous paraît dur le métier?

Elle répondit cette fois par un imperceptible « oui » de la tête, suivi d'un soupir qui en disait plus long.

— Très dur! continua l'homme. Je le sais! Mais vous y arriverez quand même... Un jour viendra où vous les étonnerez tous! Ces brutes ne peuvent pas comprendre tout ce qui se passe dans votre cœur, ni que vous avez l'orgueil de réussir... Votre fierté les gêne parce qu'elle est naturelle. Mais patience! Il y en a un qui sait : le Patron. A lui, on ne la fait pas! Il n'y a que lui qui compte ici. Tout le reste, c'est du vent, du double zéro!

Michaëla écoutait maintenant l'homme avec une sorte de ravissement, n'essayant même plus de réfléchir. Du moment qu'il lui parlait ainsi et qu'il croyait en son succès futur, c'était un ami...

— Qui êtes-vous?

— Moi? L'un des innombrables employés de cette bâtisse à roulettes...

— Vous n'avez pas toujours été plongeur au bar?

— J'ai été acrobate au tapis...

Il avait murmuré ces mots presque dans un souffle, avec beaucoup de petits regrets et une pointe de fierté.

— Quel genre ?

— Du main à main, avec mon frère. Oh ! un bon numéro ! Nous avions notre succès, mais jamais le triomphe. Nous ne sommes pas arrivés à passer, dans le programme, plus bas que le numéro trois. Notre moyenne ! Toujours au commencement de la première partie ! C'est terrible de faire son numéro devant des salles à demi-vides ou des fauteuils qui se remplissent de gens qui ont fait un trop bon dîner. Ceux qui ont un bon dîner dans le ventre éprouvent le besoin de parler haut, de faire beaucoup de bruit et de déranger tout le monde en rejoignant leurs fauteuils.

— Pendant que vous vous éreintiez en piste avec votre frère ?

— Oui. Notre travail était toujours gêné, mais il fallait quand même l'exécuter, pour manger. C'est terrible de ne pouvoir s'évader du stade qui vous oblige à travailler pour vivre. Il n'y a que lorsque l'on est devenu un grand numéro, payé très cher, quand on a mis suffisamment d'argent de côté pour voir venir, que l'on peut faire du bon travail. C'est ça votre chance, mademoiselle ! Vous ferez quelque chose de très beau sur votre cheval parce que vous ne serez pas obligé de payer son avoine. C'est un peu aussi pour cela que les autres vous jalousent.

Ce métier que vous apprenez avec courage n'est que leur bifteck !

— Pourquoi l'avez-vous abandonné ?

— Mon frère a eu un accident bête. Il a fallu lui couper la jambe. Fini le numéro des frères Zanetti ! Nous avons bien essayé de le remonter, avec mon frère, malgré la jambe coupée. Nous n'étions pas découragés, vous voyez ? Seulement un unijambiste en piste et en maillot, ça fait pitié et horreur. Le public n'aime pas ce qui est laid et il se dit : « Pauvre bougre ! il a besoin de gagner sa vie... » Il ne faut jamais inspirer un sentiment de pitié, quand on est artiste. Car on est bien fichu ce jour-là ! C'est ce qui s'est passé le soir où nous avons remis ça. Nos nouveaux débuts eurent lieu dans un tout petit cirque, quelque part en province. Nous pensions ferme que tout n'irait pas trop mal... Le numéro avait une certaine grandeur, exécuté par un mutilé. Mais l'irréparable s'est produit : le public a eu pitié. C'était fini. Le soir même nous étions résiliés et depuis...

Il s'était tu et essuyait une fois de plus son comptoir. Elle le regardait. S'il avait pu effacer certains mauvais souvenirs aussi facilement que les gouttelettes perlant sur les verres, il l'aurait fait avec enthousiasme. Elle restait songeuse devant cet homme qui avait tout raté et qui, malgré cela, prétendait lui redonner confiance en répétant : « Il ne faut pas être triste !... Vous avez envie de pleurer ! »

Et lui donc ! Il s'était tu brusquement à l'évocation de sa fin de carrière avec son frère l'unijambiste qui avait flanqué deux vies par terre... Il n'était pas possible que l'existence sur piste de cet homme n'eût été que cela ! Il n'en aurait pas conservé un si bon souvenir et ne se serait pas obstiné à continuer à travailler dans un cirque. Il avait dû être brillant à un moment donné ?

Elle lui posa une question étrange qui pouvait lui donner la solution de l'énigme de ce cœur humain :

— Avez-vous conservé votre maillot de travail ?

— Non. Depuis le temps qu'il ne servait plus, il aurait été mangé aux mites ! Mais j'ai beaucoup mieux que cela. Chut ! ne le dites à personne. Je vais vous montrer quelque chose que je cache soigneusement ; c'est réservé aux vrais amis. Et il n'y en a pas beaucoup dans le métier ! C'est mon petit secret à moi... Il résume tous mes souvenirs et le plus beau moment de mon existence, l'époque où notre numéro faisait un certain effet à Paris, chez Bour-Boum, celui qui est devenu Medrano.

Il exhiba un portefeuille crasseux, d'où il retira, avec des précautions infinies, une vieille enveloppe jaunie contenant une photographie, légèrement cartonnée, à la manière de 1905... Une photographie, sale, marquée aux coins par les doigts qui l'avaient triturée. Elle avait dû passer dans d'innombrables mains d' « amis », l'image terne... Son propriétaire l'avait montrée à tant d'inconnus d'un soir, au bar, la photo de son secret ! Et à chacun il avait dû confier, mystérieux :

— Chut ! Je la sors de son enveloppe parce que c'est vous !

Michaëla comprit cela tout de suite. La pose était d'ailleurs insensée : deux personnages moustachus, avantageux, en maillots 1900 collants jusqu'aux pieds — couverts de médailles sur la poitrine, bombant le torse, les mains sur les hanches — avec, pour fond, une colonne en carton se découpant sur un paysage champêtre... Une pauvre chose évoquant un piètre numéro... La photographie-type qu'un impresario, désireux d'engager le numéro sans le connaître, n'aurait jamais dû voir.

— Qu'en dites-vous ? demanda, radieux, le plongeur.

Michaëla restait muette.

— Ça au moins c'était du travail consciencieux ! poursuivit l'homme. Du travail sans bluff, à la française, comme on n'en fait plus aujourd'hui !

Et il s'exaltait peu à peu au souvenir de « son » travail, qui certainement n'avait jamais dû être bien fameux. Sa voix montait comme celle du vainqueur racontant ses exploits. Et c'était à ce bout de carton que se raccrochait, tant bien que mal, toute une existence ! Parce que le plongeur possédait cette pauvre chose stupide dans son portefeuille en loques, il se sentait le droit impérieux de donner des conseils aux autres ! Et il prit le sourire figé de la jeune fille pour de l'admiration béate.

Elle lui rendit son précieux bien, qu'il enferma comme un trésor dans l'enveloppe jaunie avant d'enfouir le tout dans le portefeuille, devenu l'écrin de sa misère.

— Mademoiselle Michaëla, quand je vous vois sortir de piste, en sueur, après le boulot de la répétition, j'ai une furieuse envie de vous dire « Alors petite ? » Oui, c'est comme cela que l'on nomme les débutantes dans le métier...

— Je vous demande de m'appeler ainsi désormais, lui dit Michaëla en quittant son tabouret. A demain, Zanetti !

— Oh ! ça, c'est chic à vous de me donner mon nom de piste. Tout le monde, dans le cirque, l'a oublié... Il y a si longtemps qu'on ne l'a pas vu sur un programme !

— Vous devez avoir raison... A côté des frères Zanetti et de tous les autres inconnus, je ne suis qu'une petite débutante.

Elle alla droit devant elle, dans le cirque, un peu au hasard de la ville démontable. Elle connaissait par leurs prénoms tous ceux qu'elle croisait et qui lui faisaient un vague signe de tête, qui aurait pu être amical mais qui voulait dire :

— Nous vous admettons dans le cirque, puisque ça plaît au patron, seulement nous ne voulons pas de vous sur la piste. La piste nous appartient ! Restez où vous êtes, en spectatrice...

Ce matin, c'était comme un fait exprès, elle les rencontrait tous. Chaque tête évoquait pour elle un peu de la vie intime du cirque, la vie privée de la grande maison Kier dont les habitants lui apparaissaient, avec le recul de quelques mois de vie commune, affreusement casaniers. Elle s'était imaginée que ceux du voyage n'étaient pas des êtres bâtis comme tout le monde, que la vie privée du clown devait être bourrée de blagues, celle de l'acrobate remplie de pirouettes et l'existence du dompteur empreinte de férocité. En réalité, quand ils ne travaillent pas, le musicien pose des chaises, l'acrobate s'occupe des cordages, le dompteur devient boucher et l'écuyère à panneaux fait mijoter dans sa roulotte un miroton parfumé aux oignons avant d'entrer en piste, ce pays des étoiles et des paillettes...

Michaëla sentait combien elle était éloignée de ces gens simples, qu'elle appréciait beaucoup plus dans ses rêves que dans leur réalité trop banale. Elle les avait tous poétisés, idéalisés, lorsqu'elle les avait vus de loin à Vienne, de la loge offerte par Kier, avec entre eux et elle la séparation de la banquette de la piste qui marquait la limite entre deux mondes. Et, si elle était partie avec eux aussi vite, c'était parce que, à cette époque, pour elle, ils avaient pris figure de géants. Son esprit, dominé par un cœur généreux, les avait faits plus grands que nature. Elle comprenait aujourd'hui que ce n'étaient que des hommes, comme les autres, sauf Kier, qui les dépassait tous de cent coudées. Kier, qui restait vraiment un être étonnant, le plus grand phénomène de son cirque : un personnage qui se serait échappé d'une gravure anglaise pour endosser la carrure d'un seigneur des bords du Rhin... Bien qu'il fît son apparition, chaque soir, au milieu de ses étalons, sur un rythme de valse, il n'aurait pas détonné sur la *Marche de Tannhauser*.

Il n'avait rien du petit bourgeois, comme les autres artistes. Les seuls qui se rapprochaient de lui étaient les monteurs tchèques qui ne pouvaient tenir en place. Malgré leur cantine, ils aimaient s'échapper de l'atmosphère par moments irrespirable du cirque et boire « en ville », dans les bistrots voisins — pour eux les bistrots étaient « la ville » — ce qui leur valait de bonnes amendes à leur retour : chez Kier, une fois la barrière dressée et le chapiteau monté, on ne sortait plus que pour les besoins du service.

Au fur et à mesure de sa promenade solitaire, Michaëla revoyait ces acrobates, ces artistes de la pantomime, ces obscurs, portés pendant des heures, sur les routes, dans leurs roulottes, qu'ils ne quittaient que pour le travail. Elle les devinait faisant leur ménage pendant que la caravane cheminait, ou regardant défiler tous les paysages du monde par la porte-fenêtre de la roulotte. Ils se fréquentaient peu entre eux. L'amitié restait dans les troupes parlant la même langue. On ne se reçoit pas entre artistes de spécialités différentes. D'abord, de quoi parlerait-on en dehors du métier ?

Toute cette mesquinerie, cette médiocrité privée de personnages qu'elle trouvait admirables en piste déroutait la jeune fille romanesque...

Elle venait de s'arrêter devant les roulottes-cages où les tigres dormaient d'un œil, repus par leur repas matinal, la tête allongée entre les pattes, ouvrant de larges gueules pour bâiller de satisfaction. La philosophie de ces bêtes paraissait étonnante à Michaëla. A l'inverse de l'humanité, qui n'était jamais rassasiée, les bêtes ne réclamaient plus rien, le ventre plein.

Michaëla gardait une prédilection pour une tigresse : Sultane. Une bête étrange, belle, jalouse, aux yeux de femme inquiétante, qui se faisait rosser par les mâles. Sultane était sournoise. Elle l'avait prouvé deux mois plus tôt en déchirant son dompteur, qui voulait lui faire ingurgiter un médicament... Pauvre Stohlberg !... La jeune fille le revoyait avec sa carrure puissante, se balançant légèrement sur ses lourdes jambes pendant les interminables conversations qu'elle avait eues avec lui.

Stohlberg, le Prussien, avait été un véritable

ami pour Michaëla. Ce curieux homme avait fait tous les métiers : trappeur, préparateur dans un muséum, chasseur de fauves, agent secret et sept années de Légion. Quand la jeune fille lui demandait en souriant s'il avait été amené à la Légion pour purger un crime ou pour sauver son honneur, il répondait invariablement :

— J'avais plutôt une fringale d'ordre et de discipline. Pour éviter le pire, je me suis réfugié à la Légion comme au cloître : là au moins je pourrais éviter les débordements d'une nature trop exubérante. J'y ai appris la résignation. J'y ai gagné aussi, en me surmontant moi-même chaque jour, une volonté trempée à toute épreuve. J'en suis sorti avec un appétit formidable de domination et de conquête...

— ... qui vous a conduit à dompter les fauves ?

— Oui... J'ai trouvé, dans le dressage, des sensations, des joies intenses, jusqu'au jour où je me suis aperçu que les bêtes étaient lâches et bonnes aussi, malgré leurs griffes et leurs dents. J'ai senti alors l'inutilité et l'arrogance de mon geste.

Michaëla était restée étonnée par cette remarque. Stohlberg lui avait paru découragé ; il lui redisait sans cesse :

— Vous verrez que l'on ne peut pas toujours capturer, réduire à merci... A la fin on se lasse d'être dur, d'être « le » dompteur parce qu'il y a tout ce que l'on a connu enfant, qu'on a fui comme vous venez de le faire, qu'on a essayé d'oublier, mais qui est resté vivant au fond de nous-mêmes... Si cela revient en nous, tout se réveille !

Michaëla avait essayé plusieurs fois de remonter le moral de Stohlberg. Mais c'était peine perdue. Un sentiment effrayant s'était enraciné dans l'âme du dompteur, le sentiment de la peur. C'était la rançon inévitable de trop d'audace, de nerfs trop longtemps tendus. Une peur qui n'impliquait chez lui aucun manque de courage, mais qui lui était venue après des années de succès et de triomphes. Etait-ce même la peur ? Le mot paraissait injuste à la jeune fille. Stohlberg, l'homme fort, avait éprouvé ce pressentiment de l'accident mortel ; cette angoisse qui fait dire à l'équilibriste « C'est le jour marqué par le destin où je vais me fracasser la colonne vertébrale » et où cela arrive inéluctablement, fatalement, s'il n'a pas eu l'autre courage, celui de renoncer.

Stohlberg n'était pas un homme qui renonce. Il était resté sous les griffes de Sultane. On l'avait retiré sanglant, déchiqueté, trop tard. Et la belle Sultane somnolait toujours dans sa cage...

Michaëla quitta la tigresse endormie pour pénétrer sous la tente où étaient groupés les roulottes-aquariums avec les spécimens de poissons les plus rares des mers japonaises.

Dans un bassin artificiel voisin, les phoques s'ébrouaient en émergeant de l'eau. Les peaux huilées, les moustaches pointues et les petits yeux malins marquaient leurs silhouettes. Phoques savants, qui jongleraient le soir même avec les objets les plus hétéroclites, perchés en équilibre sur leurs museaux. Phoques moustachus, qui bondissaient à la vue de la jeune fille, leur meilleure amie, qu'ils accueillaient avec des cris rauques prolongés. Michaëla mourait d'envie de leur jeter quelques sardines, brillantes sous le soleil, dans cette dernière course de la main d'une jolie fille à la gueule d'un phoque mais elle savait que ce n'était pas l'heure du repas. Pour les animaux de cirque, le repas doit toujours être d'une exactitude scrupuleuse. C'est nécessaire pour que le travail en piste ne s'en ressente pas. Qu'y a-t-il de plus décevant qu'un lion regardant, avachi, les spectateurs à travers les barreaux de la grande cage, ou une panthère qui rugit, en refusant obstinément de travailler, parce qu'elle a la panse vide ?

Le poil dégoulinant, les ours polaires balançaient la tête à la vue de Michaëla. Les yeux rouges de ces plantigrades obtus clignotaient devant elle. Puis dépités et bougons parce qu'ils n'avaient pas reçu le morceau de pain attendu, ils replongeaient, calmes et pataudes, dans l'eau trouble où la blancheur de leur peau perdait son éclat.

Collé contre l'épaisse paroi de sa cage de

verre, le boa géant se souciait peu de son admiratrice. Il dormait, comme toujours, et digérait son lapin quotidien. Il ne sortait de sa torpeur béate que pour fasciner et engloutir la pauvre bête à une heure fixé de la nuit.

« Etrange, la vie du boa ! pensa Michaëla. Celui-là ressemble plus aux hommes. Comme eux, il ne se réveille que pour faire le mal. »

Ce qui n'empêchait pas la jeune fille de considérer aussi le boa endormi comme l'un de ses amis : le boa n'était-il pas malheureux, lui aussi ? Les chênes-lièges géants, autour desquels il pouvait s'enrouler avec volupté, ne lui manquaient-ils pas ? Et la température trop sèche de sa cage de verre ne valait pas la chaleur humide des Tropiques... Il n'était enfin qu'un prisonnier, qui mourrait de faim derrière les murs transparents si le gardien n'y introduisait pas tous les jours « le lapin ». Dans son pays d'origine, le boa n'avait besoin de personne et se débrouillait tout seul. Mangez-les vivants !

Michaëla pensa à la réflexion stupide que la plupart des visiteurs de la ménagerie faisaient devant la cage chaude :

— Pouah ! Le gros serpent ! C'est visqueux et venimeux.

« Erreur, braves gens ignares ! » aurait voulu leur dire la jeune fille. Le boa n'a pas besoin d'être venimeux : sa force lui suffit pour étouffer l'adversaire...

La future écuyère poursuivit sa promenade et jeta un rapide coup d'œil sur les deux occupants de la tente voisine : Hansi, la girafe emmanchée d'un long cou, et Arsène, l'hippopotame-nain qui regrettait sûrement les lianes aquatiques du Haut-Congo.

Sous toutes les tentes, sur chaque plancher de cage, derrière chaque palissade, tout un monde de bêtes somnolait en essayant de s'organiser dans le cadre de la captivité. Un monde qui, à cette heure, ne se souciait même pas de l'homme qui l'avait condamné au martyre. Michaëla aimait les bêtes au repos : leur somnolence, doublée d'un peu d'indolence, était fascinante à observer.

Pendant que la fille du baron Pally restait perdue dans sa contemplation muette, une ombre se profila devant la cage, une ombre à cravache :

— Vous admirez les fauves, Michaëla ! demanda avec une grande douceur la voix de Kier si rude d'ordinaire. Je croyais que vous n'aimiez que les chevaux ?

— Je ne sais plus très bien ce que j'aime vraiment...

— Votre métier !

— Je n'en ai pas encore...

— Vous êtes en train de l'apprendre. Le travail improvisé ne rend jamais. Les métiers qui se rapprochent de l'art sont plus difficiles que les autres ! Et votre numéro équestre sera de l'art pur. Je l'ai décidé quand je vous ai vue la première fois sur le Prater. Je ne change pas d'avis. Je ne suis pas une girouette.

— Franchement, déjà vous trouviez que j'avais les capacités nécessaires ?

— Vous les aviez. Elles se transforment peu à peu en réussite.

— Ce n'est pas l'avis de votre entourage !

— Il n'y a qu'un avis qui compte, le mien ! Ne vous occupez jamais de ce que pensent les petites gens qui ne doivent même pas vous intéresser. Evidemment, ma façon d'agir à votre égard opère une révolution dans leurs habitudes, car il y en a même au Cirque ! Il y en aura toujours tant qu'il y aura de la vie sur la terre. Restez la jeune fille de la société ; vous ne vous en évaderez que difficilement, et mêlez-vous à nous uniquement pour les obligations de votre travail. Si vous conservez votre indépendance, peut-être conserverez-vous votre personnalité ?

— Vous faites tout ce qu'il faut, à chaque répétition, pour me la retirer et m'humilier devant les autres en me disant de recommencer !

— Ce n'est pas pour mon plaisir, Michaëla, que j'agis ainsi. Ne pas vouloir corriger les défauts de son métier n'est pas une preuve d'originalité, mais de paresse. Vous avez de mauvais penchants équestres, comme tous ceux qui ont trop de facilité, trop de beauté... Vous essayez d'assimiler un peu vite votre nouvelle situation sociale. Cela m'effraie !

Michaëla fut étonnée par ces remarques. Le jugement qu'elle avait porté sur Kier jusqu'à ce jour était complètement erroné.

— Je ne crois qu'en vous, dit-elle, pour mon succès final. Vos paroles sont pour moi une sorte d'Evangile du Cirque ! Et ce que vous avez fait ce matin est très chic, très sport : simuler une fatigue pour que d'autres ne voient pas ma défaillance.

— C'était normal. J'ai mon petit orgueil, moi aussi. Celui du monsieur qui s'est juré d'étonner même ceux de son métier avec une élève de votre trempe. Je déchoirais devant eux si je reculais maintenant, si je vous disais : « Michaëla, inutile d'insister ! Nous perdons tous les deux notre temps. Je n'arriverai jamais à faire de vous l'écuyère à laquelle je rêve. Retournez à Vienne ! » Cela, je ne vous le dirai jamais.

— Vous en mourez d'envie !

— Vous me connaissez mal ! Il ne m'aurait pas fallu six mois, mais six heures pour voir que je me trompais. J'aurais eu alors le courage de vous le dire.

— Et aujourd'hui ?

— Je ne l'ai plus parce que j'ai une confiance aveugle et puis... Mais c'est une autre histoire, qui ne vous regarde pas.

— En êtes-vous si sûr ? Donnez-moi la main, Hermann...

Après une seconde d'hésitation, il prit la pe-

tite main qu'il serra très fort, dans ses énormes
« pattes » velues, avec une sorte de dévotion.
Michaëla sentit les lèvres brûlantes, lourdes,
sensuelles qui lui effleuraient la peau et elle ne
retira pas la main. Il releva la tête, radieux,
transfiguré, ajustant son monocle embué avant
de dire gaiement :

— La récréation est terminée. Pour moi elle
fut merveilleuse... Si nous reprenions le travail ?

— A vos ordres.

— Oh ! N'exagérons rien ! Disons plutôt mes
« conseils »...

Ils se dirigèrent vers la piste. Le cheval tournait au pas, maintenu à la bride, attendant sa
cavalière qui fut vite en selle. La voix gutturale
de Kier demanda sèchement :

— Chef, vous y êtes ?

L'orchestre attaqua. Les artistes et tous les
curieux de la maison avaient repris, silencieux
cette fois, leurs places dans les loges et sur les
gradins. Tout en ayant l'air de surveiller avec
la plus grande attention le travail de son élève,
Kier leur jetait de temps en temps un regard
terrible dont ils avaient du mal à soutenir
l'acuité. Ce qui n'empêcha pas la contorsionniste, miss Kremser, de chuchoter à l'oreille du
régisseur de piste :

— Tu verras ! Le patron est tout de même
fichu de faire quelque chose de cette « petite »...

COURRIER DES SPECTACLES

Kier était préoccupé. Pourtant son cirque ne désemplissait pas, depuis huit jours, à Stockholm. Partout c'était le triomphe, mais Kier restait songeur.

— Carl, donnez-moi l'album de mon Argus de presse.

Carl apporta sur le bureau de la roulotte directoriale un classeur volumineux où se trouvait comprimée, collée, étiquetée, la presse du monde entier : celle qui avait fait la renommée de Kier. Cette compilation s'arrêtait brusquement à la date du 10 avril 1931. Et, depuis ce jour, plus rien ! Kier n'avait pas voulu augmenter sa collection. Il avait dédaigné les journaux, refusé de jeter les yeux sur les plus beaux articles publiés sur son cirque et sur lui, parce que le 10 avril...

Il relut lentement, à haute voix, les dernières

pages remplies de l'album. Carl, debout derrière lui, restait immobile.

Le Soir de Bruxelles, 3 avril 1931 :

C'est avec une très grande satisfaction que les Bruxellois ont vu revenir dans leur ville le cirque géant Kier. Le spectacle y est encore plus grandiose qu'au précédent passage de cet établissement ambulant dans notre ville. La cavalerie de Hermann Kier restera toujours la plus prestigieuse de l'époque. Mais le clou de la soirée fut incontestablement l'apparition, tant attendue, de Michaëla Kier, la jeune femme du directeur. Son numéro équestre dépasse de loin tout ce que nous avons applaudi dans le genre.

Kier feuilleta quelques pages et continua sa lecture :

La Libre Belgique, 3 avril 1931 :

Michaëla Kier apparaît dans une longue amazone noire; ses cheveux blonds s'échappent d'un petit tricorne. Son cheval noir est un admirable friselandais comme nous n'en avions encore jamais vu sur une piste. Cette remarquable exhibition semble trop courte. Ce n'est même pas un numéro de cirque, mais de l'art. Tout y est harmonieux, élégant, racé. On reconnaît, derrière ce travail magnifique, la main sûre du grand Kier. Il a voulu présenter sa jeune femme en piste pour la première fois en

public, à Bruxelles. Une chance pour Bruxelles !
Jusqu'à cette soirée mémorable, nous ignorions
tous qu'il y eût une Mme Kier aussi ravissante.
Voilà certainement le miracle du Cirque Mo-
derne. Kier peut être fier. Il tient là le plus
beau de tous les numéros qu'il ait jamais pré-
sentés au cours de sa prestigieuse carrière.

Kier continuait à lire d'une voix monocorde,
sans la moindre fierté. Carl ne bougeait toujours pas.

Le *Peuple*, 3 avril 1931 :

Voilà incontestablement un numéro qui fera
le tour du monde. Inconnue hier, célèbre au-
jourd'hui, Michaëla Kier évoque en piste tout
ce que le charme d'une jeune et jolie femme,
allié à la grâce d'un animal splendide, peut ap-
porter de vraie joie pour les yeux. Il faut avoir
vu Michaëla Kier, faisant valser son pur-sang
pour dire que l'on sait enfin ce qu'est un che-
val qui danse !

L'*Echo du Film*, 4 avril 1931 :

... Verrons-nous, ce qui ne s'est encore jamais
produit, une jeune et prestigieuse écuyère, Mi-
chaëla Kier la grande vedette du cirque por-
tant ce nom, devenir une star de l'écran ? La
rumeur publique veut qu'un producteur amé-
ricain se soit montré tellement enthousiasmé
par l'apparition en piste de cette jeune femme,

qu'il lui aurait offert un pont d'or pour la fai-
re débuter à l'écran. Bien entendu, ce serait
dans un grand film sur le monde pittoresque
du cirque, production réalisée à Hollywood.

L'*Echo du Film,* 7 avril 1931 :

Mise au point.
— Jamais je ne ferai du cinéma, a déclaré
Michaëla Kier aux journalistes venus l'inter-
viewer.
La charmante écuyère n'a pas hésité à con-
fier : « J'ai travaillé pendant des mois dans
le silence, sous la seule direction de mon
mari, pour mettre au point un numéro de cir-
que. J'appartiens donc au cirque et uniquement
à lui ! Le seul intérêt d'un film serait de faire
connaître mon numéro dans tous les pays du
monde. Mais n'est-ce pas, précisément, la mis-
sion essentielle d'un cirque ambulant ? Alors,
pourquoi faire du cinéma ? »

Hermann Kier tourna lentement la page de
l'album, et resta quelques instants silencieux
avant de lire très lentement et presque à voix
basse le dernier de tous les articles :

Le *Soir,* 10 avril 1931 :

La fin d'une jeune étoile.
Est-il un drame plus effroyable que ce ba-
nal accident suvenu hier soir au cirque Kier ?
Comme l'ont relaté nos premières éditions,
la belle écuyère Michaëla Kier, dont les dé-

buts éclatants soulevèrent l'enthousiasme, aura connu une courte carrière. Son magnifique cheval a eu peur, on ne sait trop pour quel motif. Après s'être cabré, il s'est renversé. L'écuyère, qui montait en amazone, ne put se dégager à temps de la fourche de sa selle. Prise entre le cheval et la banquette rouge, elle a été relevée inanimée. Transportée immédiatement dans une clinique, elle est toujours dans le coma. Son état reste des plus graves : une déviation de la colonne vertébrale est à craindre. De toute façon, de l'avis unanime des spécialistes appelés à son chevet, elle ne pourra plus jamais paraître sur une piste. Ce drame est d'autant plus douloureux qu'il est très probable que Michaëla Kier aurait réussi à se dégager à temps, si elle était montée à califourchon. Il faut dire, à sa décharge, que toute la beauté de son éblouissant numéro résidait dans le fait que la foule se trouvait en présence d'une amazone, d'une jeune femme qui voulait rester « femme » dans les exercices équestres les plus difficiles.

Etrange, la destinée de Michaëla Kier, sur laquelle courent les légendes les plus extravagantes ! Les uns lui attribuent une naissance royale, d'autres une origine des plus obscures... La réalité est beaucoup plus simple, mais tout aussi émouvante. Michaëla Kier était une fille de la haute Société Viennoise qui quitta délibérément sa famille pour suivre le cirque Kier

de passage à Vienne. Elle y travailla d'arrache-
pied, pendant plus d'une année, sous la direction magistrale de celui qui devait devenir son
mari, le grand Hermann Kier. Les débuts de
Michaëla datent du jour où ce prestigieux ani-
mateur, doublé d'un cavalier d'élite, estima
que le numéro avait atteint la perfection. Il
y a de cela exactement dix jours. Ce furent dix
matinées et dix soirées inoubliables pour notre
capitale. Kier avait tenu à réserver ce cadeau
princier à Bruxelles, qui l'avait accueilli triom-
phalement à son premier passage. Les Bruxellois n'oublieront jamais ce geste.

La fatalité a voulu que l'accident se produi-
sît, hier soir, pendant la dernière représentation à Bruxelles. Nous ne reverrons plus jamais l'adorable Michaëla sur piste : Bruxelles
sait qu'elle a été la seule capitale à pouvoir
l'admirer. Le cirque Kier a plié ses tentes cette nuit, et nous souhaitons de tout cœur le
revoir avec l'homme qui a su imaginer, créer,
mettre au point un tel numéro. Mais surtout,
que Kier ne se décourage pas ! Il n'en a pas
le droit : s'il fait vivre des centaines d'artistes
ou d'employés, il sait aussi faire rêver des milliers de spectateurs.

Les accidents de cet ordre, malheureusement
trop fréquents dans la vie dangereuse de la piste, n'empêchent pas les grands cirques de pour-
suivre leur ronde éternelle. Un numéro disparaît : il est immédiatement remplacé par un au-

94

tre. Perpétuel recommencement. Souhaitons que Kier nous découvre une nouvelle Michaëla! Sera-ce même possible? Nous ne le croyons pas. Peut-être Kier, à force de patience et de ténacité, arrivera-t-il à nous présenter un numéro équivalent? Mais il ne parviendra pas à nous offrir mieux que Michaëla. On ne refait pas deux fois le même miracle.

Hermann Kier avait refermé l'album. Carl restait derrière son fauteuil, toujours debout. Le silence se prolongeait. Par les fenêtres de la roulotte, on entendait le brouhaha du départ. Les lourds véhicules s'ébranlaient dans la nuit.

— Quelle heure avez-vous, Carl?

— Minuit trente-cinq, patron.

— En route! De combien cette étape?

— Deux cents kilomètres.

— Dites à mon chauffeur qu'il prenne sa place habituelle dans la colonne de tête. Bonsoir, Carl... Attendez?... Comme vous êtes l'un de mes plus fidèles collaborateurs, j'aimerais vous confier ce soir un secret qui m'étouffe et que personne ne peut deviner dans ce cirque : je ne puis plus me passer de ma femme... Vous comprenez?

— Oui, patron.

— Je veux la faire sortir, par n'importe quel moyen, de la clinique de Hambourg.

— Mais ce serait de la folie, patron!

— Non ! Ce qui est de la démence, c'est de la laisser vivre, elle, dans cet asile d'aliénés ! Mme Kier n'est pas folle...

— Et les médecins, patron ?

— Ils la libéreront ; je le veux. Oh ! je sens très bien qu'elle ne pourra plus travailler, mais je l'aurai près de moi. J'éprouve le besoin impérieux de continuer à m'occuper d'elle. Quand j'avais fait la connaissance de Michaëla à Vienne, je n'avais vu dans cette jeune fille qu'un numéro magnifique. Quelques mois plus tard, j'ai découvert la femme. Et le jour où je l'ai épousée, ce ne fut pas pour créer une association commerciale mais parce que j'avais enfin trouvé mon rayon de soleil, celui qui m'était indispensable pour compenser un labeur écrasant. Après tout, n'ai-je pas le droit d'être amoureux de ma femme ?

— Oui, patron.

— Il faudra que vous m'aidiez à la garder auprès de moi, Carl ?... Je suis sûr que si tout le personnel de mon cirque m'aide, nous y arriverons ! Vous voulez bien ?

— Oh ! oui !... Pour vous, patron... Et puis, à la longue, à force de la voir travailler avec un tel courage pour arriver à être la plus belle écuyère du monde, nous avons tous fini par l'admirer dans la maison... Et, quand Bruxelles l'a acclamée le soir de ses débuts, nous avons été fiers d'elle !

LE SOUPER DE SON ALTESSE

— Alors, Carl, toujours fidèle au poste ?

— Toujours, monsieur Dernet.

— J'ai en bas dans un taxi, une nouvelle toile, le portrait de Mlle Isabelle. Vous me la ferez monter ici avec beaucoup de précautions par quatre solides gaillards. C'est une surprise que je réserve à votre patron.

— M. Kier y sera très sensible.

Pendant que le secrétaire sortait silencieux, Dernet s'approcha de la large fenêtre, grand ouverte en cette nuit de juin. L'immeuble d'en face avait ses murs étrangement éclairés par une lumière crue qui papillotait, lumière indirecte aussi, reflétée par les « lumineux » au néon de l'entrée du Cirque d'Hiver. Kier terminait sa première saison complète dans une ville. C'était intentionnellement qu'il avait choisi Paris, où il n'était encore jamais venu, parce que Paris reste toujours pour ceux qui n'y sont pas nés un mirage permanent.

Kier n'avait pas hésité à abandonner pendant quelques mois la tente pour une construction fixe. Lui-même habitait l'immeuble voisin du cirque dont il avait loué les sept étages pour y loger la plus grande partie de son personnel. Seuls les monteurs tchèques continuaient à coucher dans les écuries, auprès des bêtes : c'était leur plaisir et leur vie.

L'appartement personnel de Kier était immense, meublé avec un goût bizarre, tapageur, un goût d'Europe centrale, lourd, confortable, trop riche. Les moindres guéridons semblaient avoir été rachetés au magasin d'accessoires d'un théâtre d'opérettes viennoises.

Dernet regardait tout cela, intrigué. C'était un curieux homme que Dernet, sous ses cheveux blancs et sa barbiche mal taillée avec des ciseaux de poche. C'était aussi un peintre de talent, passionné du cirque et de ses gens. Il barbouillait ses toiles d'écuyères à panneaux ou de faces enfarinées de clowns, comme Degas avait peint des danseuses. Tout son rêve d'artiste était là, devant un cadre qui contenait la lumière ou la tristesse de la piste. Poète à ses instants perdus, ceux où il ne peignait pas, Dernet improvisait des sonnets, plus ou moins bons, à la gloire du cirque. Ennemi acharné des natures mortes qu'il ne comprenait pas, il préférait la vie intense de la piste.

Des valets en livrée déposèrent l'immense toile, en pied, sur son chevalet.

— Placez-la dans la salle à manger.

Le peintre donna lui-même les indications et retira la housse qui recouvrait le tout. Carl et les hommes de piste regardèrent, muets.

— Alors ?

— C'est elle, monsieur Dernet, dit simplement Carl. Je ne m'y connais pas en peinture, mais c'est bien Isabelle sur son cheval.

Les valets opinaient de la tête.

— Puisque vous la retrouvez, c'est donc que je l'ai bien comprise, conclut Dernet. Sans vous en douter, vous venez de me faire un très beau compliment, Carl... Allez avertir M. Kier que je suis arrivé et que j'ai grand faim. Mais ne lui soufflez pas un mot du tableau !

Carl sortit avec les hommes. Dernet resta, un bon moment, perdu devant son œuvre. Isabelle y était représentée en noir, dans une longue amazone, avec un petit tricorne. Sa bête levait l'antérieur droit, dans un mouvement de pas espagnol : une attitude chipée au passage, au cours du numéro, par le peintre. Il avait mis des heures à contempler et à crayonner le numéro pour fixer pour toujours l'admirable chose équestre conçue par Hermann Kier.

On devinait le bord rouge de la banquette et quelques têtes de spectateurs des loges. Mais une seule impression se dégageait de l'ensemble : un cheval monté divinement par une très belle jeune femme brune. Le peintre regarda machinalement sa signature : Dernet, 10 juin 1935.

— Etrange ! pensa-t-il. Kier a attendu deux ans avant de se mettre au travail pour produire ce numéro équestre avec une nouvelle exécutante. Il lui a fallu ensuite une année pour la former et, moi-même, j'ai mis douze mois pour peindre cette écuyère à dater du jour de sa présantation en public. Curieux !

Plus il regardait sa toile, plus il lui semblait la voir remuer, vivre... Par la fenêtre ouverte, on entendait monter quelques bribes des flonflons de l'orchestre. Minuit approchait : les derniers numéros du programme étaient en piste. Dernet reconnaissait, par intervalles, la valse lente du numéro d'Isabelle tout en continuant à examiner minutieusement sa toile.

— Elle passe en ce moment... Elle doit être exactement comme cela, dans cette attitude...

Il connaissait les moindres détails de ce numéro par cœur et avait fait sa dernière réflexion à voix haute, sans même s'en apercevoir.

— Exactement dans cette attitude ? reprit une voix calme derrière lui.

Dernet se retourna, interloqué. Kier était là, entré sans bruit et contemplant l'œuvre :

— C'est beau, Dernet, très beau ! Merci, mon bon ami. Vous avez saisi l'instant précis où l'écuyère va changer de rythme, avec l'orchestre, pour quitter le pas espagnol et mettre tout doucement son cheval au petit galop. C'est très réussi...

— Je voulais vous faire ce plaisir, Kier, parce que j'ai une immense admiration pour votre ténacité. Je pense que si l'on se décide enfin à créer un jour un Musée du cirque, cette toile devrait y prendre place non pas pour sa valeur, qui est quelconque, mais n'est-elle pas représentative de votre méthode de travail et de vos idées ? On pourrait même écrire, sous le cadre, en guise de plaquette : *Cette écuyère a été formée à l'école de Hermann Kier, créateur de Beauté équestre.*

— Vous auriez raison de me dire cela si vous aviez vu le numéro de ma femme, voici déjà quatre années.

— C'est cependant le même numéro que vous avez reformé ?

— De toutes les élèves avec lesquelles j'ai essayé de remonter le numéro depuis l'accident, Isabelle a été de loin la meilleure. Elle fut la seule qui a pu exécuter scrupuleusement, presque avec « religion », ce que j'exigeais d'elle... Malheureusement elle n'atteindra jamais la classe de Mme Kier... Oh ! cher Dernet, comme je regrette que vous n'ayez pas été à Bruxelles pendant les dix journées qui ont précédé l'horrible chose ! Ma pauvre Michaëla n'est plus qu'une loque, à présent, malgré sa jeunesse.

N'avoir que vingt-cinq ans et être dans cet état ! Je ne me fais plus aucune illusion..

Puis changeant brusquement de ton :

— C'est très aimable à vous d'être venu souper avec nous ce soir. Mais, excusez-moi, vous n'êtes pas en habit ?

— Mon Dieu ! J'ai complètement oublié... C'est vrai ; je me souviens d'avoir ressorti mon habit, enterré depuis longtemps dans la naphtaline, pour le premier souper que j'avais pris ici même, en compagnie de votre femme, il y a déjà plusieurs mois... C'était d'ailleurs la première fois où je la voyais.

— Vous étiez très impressionné, ce soir-là...

— Reconnaissez que c'est assez troublant quand on n'a jamais assisté à ce genre de souper...

— Vous êtes décidément un excellent ami. C'était le premier souper que j'offrais pour Michaëla. Depuis il y en a eu un tous les soirs...

— Toujours ici ?

— Elle ne doit pas quitter l'appartement : la police me l'interdit et je suis entièrement responsable de ses faits et gestes.

Il avait sonné.

— Carl. Vous avez à peu près la même taille que M. Dernet. Prêtez-lui l'un de vos habits. Les miens sont trop grands. Apportez-le, avec tout ce qu'il faut, chemise du soir, souliers vernis, boutons de manchettes... Vous pourrez vous changer ici, Dernet. Mes invités ne seront pas là avant un quart d'heure : pour le moment ils sont en piste... Nous bavarderons un peu pendant ce temps-là. J'aime votre conversation : c'est celle d'un homme lucide qui a du cœur.

— Mme Kier a toujours les mêmes idées ?

— Oui, l'idée fixe est la première caractéristique de la démence. Michaëla se croit, de plus en plus, princesse de sang royal ! Princesse régnante de je ne sais quel royaume imaginaire, dominant une cour fantôme que j'aie créée pour elle seule... Une cour bien étrange dont chaque membre a un double but dans l'existence : gagner sa vie sur une piste et jouer, pour faire plaisir au « patron », la comédie devant ma femme !

— Je trouve cela très naturel : ils ont tous besoin de vous et savent qu'ils ne seraient rien si vous n'étiez pas là.

— Je n'en suis pas aussi sûr que vous.

— La modestie ne vous va pas, Kier !

— Je n'ai jamais été modeste ! Je pense que je suis incapable de l'être... D'ailleurs la modestie m'a toujours fait horreur ! Pour moi, c'est une forme d'orgueil redoutable... En réalité, je suis avant tout un vieil égoïste qui veut garder sa femme avec lui. Et je dois y mettre le prix ! Comme Michaëla est folle, j'oblige mon personnel et mes meilleurs collaborateurs à se plier à des exigences sinistres ! S'ils ne m'aidaient pas tous, je ne pourrais pas la garder !

— Ce que vous avez fait est incroyable ! Cela tient du roman : retirer votre femme de cette maison d'aliénés de Hambourg et vous engager à la surveiller tout le temps !

— Il le fallait ! Les médecins l'exigeaient... Oh ! elle n'est pas dangereuse. Sa folie des grandeurs restera douce si elle est cultivée. Si je n'agissais pas ainsi, j'ai été prévenu par tous les spécialistes consultés que Michaëla risquerait de devenir mauvaise et qu'il faudrait l'enfermer à nouveau. Aussi dois-je faire très attention et ne jamais contrarier son besoin périodique de règne éphémère.

— D'où peut lui venir une pareille folie ? Je comprends très bien que l'accident ait été la cause de ce dérangement cérébral, mais pourquoi a-t-il amené ce genre de lubie plutôt qu'une autre ?

— Ce sera toujours pour moi une énigme... Et cependant ! J'ai longuement réfléchi à ce problème, pendant les nuits passées à la veiller quand elle repose... Vous savez qu'elle a toujours été magnifiquement ambitieuse et qu'elle voulait absolument arriver. Mon plus grand tort a dû être de l'aider, car elle a réussi au-delà de toute espérance, en quelques mois ! Vingt-quatre heures et une seule représentation — la répétition générale de Bruxelles — ont suffi pour la rendre célèbre dans le monde entier ! Après l'accident, je l'ai fait soigner à Bruxelles, puisqu'elle était intransportable à ce moment-là. Pendant huit jours elle resta entre la vie et la mort. Puis, peu à peu, elle se remit physiquement. Mais le choc avait été trop rude : l'esprit n'y était plus. Je dus la faire conduire à Hambourg, où elle resta trois années pendant que je faisais ma tournée dans les pays scandinaves. J'avais alors une alternative : ou lâcher mon cirque...

— Vous n'en aviez pas le droit !

— C'est ce que j'ai pensé... Ou l'abandonner, elle, à ses gardiens. Ça non plus je ne le pouvais pas ! C'était plus fort que moi... Ainsi me suis-je décidé à donner une saison d'hiver fixe. J'ai choisi ce Paris où se sont abritées tant d'amours folles comme les miennes... Vous me comprenez, Dernet, vous qui êtes mon ami ?

— Trop bien !

— Je me disais qu'en ne bougeant pas, je pourrais avoir une grande habitation où je vivrais avec Michaëla et qui serait toute proche de mon cirque. Ainsi je pourrais m'occuper des deux... C'est pour cela que ce portrait aurait encore plus d'âme si vous l'aviez représentée, elle ! On ne peut séparer Michaëla du cirque où elle voulait vivre ! Et tous mes artistes ou employés le sentent si bien qu'ils viennent, chaque soir, souper ici avec Mme Kier et moi.

— Je sais que vous êtes très aimé dans votre grande maison.

— C'est Elle qu'ils adorent ! N'a-t-elle pas été pour eux une révélation ? Ne représente-t-elle pas à leurs yeux le succès éclatant et immédiat ? Par ces belles nuits de juin que nous avons actuellement, j'écoute monter les rumeurs et les bruits de votre capitale qui s'endort... Devant moi, j'ai la façade sombre d'un immeuble. Mais je regarde plus haut, au-dessus des cheminées innombrables qui se découpent sur le fond du ciel. Et celui-ci m'apparaît rempli d'étoiles, toujours pareilles, aux mêmes places. Certaines, telle Vénus, écrasent les autres de leur éclat immuable mais brusquement, une comète inconnue passe fulgurante, et zèbre le ciel étoilé, comme un bolide. Je la suis du regard, avec avidité, jusqu'à ce qu'elle disparaisse et je la regrette... N'apportait-elle pas avec elle une vie nouvelle qui jaillissait à l'improviste ? Michaëla fut cet astre pour tout mon cirque...

— Qui la regarda sans la moindre jalousie ?

— Je possède, dans ma troupe, des numéros inchangés depuis des années : ils ont atteint une telle perfection qu'il leur est difficile de se renouveler. Les artistes qui composent ces numéros « types » m'ont observé avec une certaine méfiance lorsqu'ils m'ont vu faire travailler Michaëla. La mise en piste d'une nouveauté est toujours délicate. Quand mon entourage s'est aperçu que ce travail original rendait, que c'était un succès, il a été étonné. Et lorsque le numéro a disparu trop vite, tous l'ont regretté... On regrette toujours la beauté.

— Je comprends enfin pourquoi ils jouent,

106

tous les soirs, l'étrange comédie qui consiste à tenir compagnie à une démente pendant un souper !

— Je sais combien c'est pénible, mon vieil ami ! Vous avez déjà subi cette épreuve un soir et, malgré ce mauvais souvenir, vous avez accepté de recommencer aujourd'hui. Merci ! Pour certains de mes artistes, cela devient une véritable hantise... Aussi de temps en temps dois-je faire venir autour de la table quelques amis sûrs comme vous n'appartenant pas au cirque et dont la présence apporte une réelle détente dans l'atmosphère pesante de ces repas.

— Qui avez-vous ce soir ?

— Mes trapézistes : les Corona, Isabelle et mon meilleur clown : Billy.

— Ce sont tous des amis. Quel rôle devrais-je jouer ?

— C'est Billy qui se charge de la distribution... Savez-vous que cet habit vous va à merveille ?

— Ainsi vêtu je ne me sens déjà plus le même homme !

— Je m'en doute... et c'est nécessaire ! Vous verrez : le cérémonial de la soirée reste toujours le même. Nous répétons avant l'arrivée de ma femme. Quand ses gardiennes m'annoncent qu'elle est prête, tout le monde est en place, dans la peau de personnages imaginaires que chacun ne joue qu'une fois. C'est une pièce très ingrate, où les rôles changent tous les soirs et où il n'y a pas de texte appris à l'avance. Ce sont les remarques un peu décousues de Michaëla qui règlent le fil de la conversation... Certains soirs c'est difficile à soutenir, parce que le souper s'éternise. Il arrive à Mme Kier de rester à table pendant des heures ! Nous tombons tous de sommeil, sachant que nous serons obligés de travailler le lendemain, en matinée, pendant qu'elle dormira encore.

— Si un soir vous ne pouviez pas lui donner ce souper auquel vous l'avez habituée, que se passerait-il ?

Hermann Kier leva un bras vers le ciel dans un geste qui ne lui était pas coutumier et que Dernet ne lui connaissait pas...

— Ce souper, où la folie de Michaëla se donne libre cours, est comme une dose d'opium. C'est sa drogue, qui la soutient et qui l'endort pour l'empêcher d'être dangereuse. Si elle n'y assistait pas, ses gardiennes ne pourraient la retenir. Ce cirque lui a tellement monté à la tête, avec ses innombrables personnages bariolés, parlant des langues différentes, ses costumes tour à tour pailletés ou misérables, qu'elle se figure être dans son « royaume ». Pourquoi la détromper ? Cela aggraverait son mal et elle ne fait de tort à personne. Elle est incapable d'en faire !

— Vous ne craignez pas que cet étrange cérémonial ne soit divulgué un jour où l'autre ? Qu'un journaliste, peu scrupuleux ou avide de copie à sensation, ne s'empare de cette information qui, avouez-le, serait assez extraordinaire : « *Kier oblige les gens de son cirque à souper tous les soirs avec une folle* » pour la répandre dans le grand public ?

— Je ne reçois à la table de Michaëla que de vrais amis. Les beaux sentiments sont salis si vite, si facilement avilis, parce que ceux-là mêmes qui les décrivent sont incapables de les éprouver...

— Vous comptez bientôt repartir en tournée ?

— Oui. Ma saison parisienne touche à sa fin. Dans dix jours je serai en Italie avec mon matériel roulant.

— Mais Mme Kier ?

— Je l'emmène... Elle peut très bien voyager maintenant ; je lui ai fait aménager une roulotte spéciale. Ses deux gardiennes y habiteront avec elle. Depuis plusieurs semaines nous essayons de lui mettre en tête qu'elle doit parcourir son royaume avec toute sa cour. L'essentiel est que je puisse continuer à donner tous les soirs son souper.

— Ce ne sera guère facile si vous déménagez chaque nuit !

— J'ai calculé de nouveaux horaires de transport avec Carl. Il suffit de mettre en route les loges directoriales les dernières. Vous savez que j'ai trois cuisines : une pour les artistes, une pour les monteurs et le petit personnel, une qui m'est propre. Elle partira la dernière. Les deux autres seront déjà à l'étape pour le repas de midi. J'ai fait monter une vaste tente spéciale, doublée de soie avec les tapis les plus rares — copiée sur les tentes des grands cheiks arabes — où se dérouleront les réceptions fantômes et où se donneront les soupers les plus fins.

— En somme, tout est prévu ?

— Il le faut pour satisfaire une déséquilibrée...

Alfredo et Lilian Corona venaient d'entrer dans le salon. Dernet les reconnaissait à peine — lui en habit et elle en grand décolleté — tellement il était habitué à les voir évoluer dans les airs, sous de simples maillots blancs, ou à bavarder avec eux, après leur numéro, au bar du cirque, quand ils étaient engoncés dans leurs épaisses robes de chambres de travail, celles que l'on jette vite sur les épaules pour ne pas attraper une pneumonie lorsque le corps ruisselle.

— Bonsoir, patron.

— Alfredo, vous connaissez Dernet ?

— Qui ne le connaît pas dans le monde du cirque ! Quand vous déciderez-vous à peindre Lilian se balançant par les pieds, dans les airs ?

— Quand je serai moi-même capable de me jucher aux cintres avec mon chevalet pour me rapprocher des étoiles !

Les Corona formaient un couple étrange, ma-

110

gnifique. Il était mexicain, brun, musclé. Elle était américaine du Nord, rousse, avec de grands cils, belle. Corona exécutait tous les jours son triple saut périlleux dans le vide, de trapèze volant à porteur. On sentait qu'il l'exécuterait jusqu'à ce qu'il se tuât dans la chute qui finit toujours par se produire. Le ménage constituait les « volants ». Ils avaient un partenaire, Pablo, le frère d'Alfredo, le porteur à la précision infaillible, celui qui n'avait pas le droit d'avoir la moindre défaillance et rattrapait, plusieurs fois par représentation, son frère ou sa belle-sœur, dans le vide, par les pieds ou par les poignets... Lui-même se balançait régulièrement sur son trapèze, après avoir calé ses pieds entre la barre et les cordes, la tête en bas. Il regardait le vide du monde qui s'étendait dans un grand trou noir, sous lui, avec, à vingt mètres, un rond jaune plus petit : la piste. Pablo était un taciturne qui vivait seul et qui n'apparaissait au cirque que pour les répétitions de travail ou la représentation. Au contraire, le ménage Alfredo était brillant.

— Hello ! bonsoir la compagnie !

Un large sourire, un habit un peu flasque et des dents éclatantes : Billy Bowden, le clown-maison, l'idole du public de Kier venait de faire son « entrée ». Sans culbutes et avec de la belle humeur, tout simplement. Pourquoi les clowns seraient-ils obligatoirement tristes dans la vie ?

— Mon vieux Billy, vous travaillez toujours en intermède dans le numéro équestre d'Isabelle ?

— Oui, mon bon rapin. Isabelle et moi formons une paire d'amis inséparables. N'est-ce pas, chère ?

Isabelle souriait à Billy, sur le pas de la porte. Elle était aussi brune que belle, moulée dans une longue robe du soir. Mais on sentait, dès le premier contact, qu'il lui manquait cette vie, qui avait dû déborder chez une Michaëla. Isabelle était froide, distante parfois, trop réfléchie...

Elle aussi avait voulu réussir, coûte que coûte, sous la direction de Kier. C'était une enfant de la balle dont le père avait été dompteur et la mère ballerine. Après avoir fait danser sa femme dans la cage aux fauves pour rehausser le numéro, le père avait eu un bras arraché, un soir, par une panthère. Dès le lendemain, la mère l'avait remplacé pour pouvoir faire élever la petite loin du cirque. Mais Isabelle y était revenue bien vite. On naît, on vit, on meurt dans le cirque. Aujourd'hui, c'était elle qui brillait. Le père était redevenu valet de piste, la mère était ouvreuse. Et Isabelle pensait qu'il ne pouvait exister d'autre métier que le sien. Elle se doutait bien qu'elle ne pourrait pas toujours être « l'Ecuyère » à succès. Cela lui était égal : elle ferait comme sa mère. Car il n'est pas question de penser à ses vieux jours ou de se retirer en rentier. C'est une prérogative que l'on abandonne volontiers aux gens de théâtre ou de cinéma ! Au cirque, il reste toujours un peu de travail pour les vieux du voyage : ils balaient, ils mettent les housses sur les fauteuils quand la représentation est finie, ils vendent des bonbons à l'entracte ou ils rincent les verres au bar comme Zanetti...

— Billy a raison, monsieur Dernet. Nous travaillons ensemble avec goût, parce que nous régnons aux deux antipodes de la piste. Il fait ses blagues au centre et je tourne, sur mon étalon, le long de la banquette rouge.

— Vous êtes la belle madame sur son fringant pur-sang et moi le pauvre hère, qui essaie d'être drôle dans la sciure, à pied, pour mettre encore plus en valeur votre travail. C'est très bien ainsi... Nous sommes une petite image de la vie !

Kier intervint :

— J'ai introduit volontairement ce bon clown dans le numéro d'Isabelle. Il le complète en ce sens que l'émotion très grande suscitée par l'apparition équestre de mon élève est brusquement tempérée par le rire que Billy sème à profusion : la loi éternelle des contrastes ! Billy est une détente nécessaire entre l'Entrée, le Pas espagnol et la Valse finale.

— Je ne suis que la ponctuation, conclut Billy. Si je fais rire un peu, c'est une petite virgule. Quand j'obtiens le sourire de la salle, je me métamorphose en points de suspension et s'il m'arrivait de faire pleurer, je ne serais plus qu'un point d'interrogation. Mais rassurez-vous... Le public ne va pas au cirque pour se fatiguer : il se contente de points d'exclamation, des exclamations gaies !

Une femme étrange, en robe du soir vieillotte, portant une guimpe, à la taille très 1900, les cheveux tirés et l'aspect austère, était entrée sans bruit dans le salon. Elle alla droit vers Hermann Kier, lui glissa quelques mots à l'oreille et repartit comme elle était venue en frôlant les meubles. Kier ajusta son monocle :

— Fraulein Greta m'annonce que ma femme est prête pour le souper et paraîtra dans quelques instants.

— Une nouvelle gouvernante ?

— Oui. Je l'ai choisie parmi les gardiennes de l'asile de Hambourg. Elle se relaie, avec une camarade, auprès de Michaëla. Ma femme s'imagine qu'elles sont ses Demoiselles de compagnie... Fraülein Greta incarne une nouvelle sorte de confidente, digne du répertoire antique. C'est Michaëla qui l'oblige à s'habiller le soir dans cette robe ridicule, la robe imposée à sa cour. Fraulein Greta admet tout. Une collaboratrice extraordinaire pour moi... Billy ! faites votre travail...

Billy, le clown, sembla perdre subitement toute sa fantaisie. Son ton fut même cérémonieux :

— Je vais, comme chaque soir, avant le souper, vous distribuer vos rôles. Alfredo et vous, Lilian, serez pour une nuit un couple d'ambassadeurs extraordinaires mexicains, débarqués récemment et en visite protocolaire à la Cour de Son Altesse. Vous n'avez jamais vu Mme Kier ?

— Jamais, puisque nous ne travaillons chez vous que depuis une semaine...

— Ce soir, cela risque d'être un peu délicat pour vous deux mais vous vous y ferez vite !

— J'en suis persuadée, trancha Lilian. Du moment que Alfredo et moi faisons maintenant partie du cirque Kier, nous sommes bien décidés à nous mettre au même diapason que les autres pour aider le patron.

— Isabelle, vous serez une nièce du prince consort.

— Qui est-ce ? demanda Dernet, effaré.

— Moi... répondit doucement Kier... Oui, le prince consort... c'est toujours moi ! Ainsi l'a décidé ma femme. C'est assez normal, au fond ! Dans sa folie, ce n'est pas moi qui règne, mais elle.

— Isabelle, poursuivit Billy, ce soir, vous êtes une princesse... la princesse Isabelle qui est venue faire un séjour à la cour de son illustre cousine. N'oubliez pas la triple révérence ! Mme Kier l'aime particulièrement. Cela la flatte.

Des valets de pistes, en culottes courtes, perruques poudrées, portant des candélabres, se rangèrent de chaque côté de l'entrée, par laquelle Michaëla allait apparaître, pour lui constituer une haie d'honneur silencieuse et obéissante. Carl, dans un habit invraisemblable, qui tenait le milieu entre celui d'un chef de Protocole et d'un capitaine d'habillement, s'avança, mué en majordome. Après avoir frappé trois coups avec sa longue canne pendant que les portes du salon s'ouvraient à deux battants, il annonça cérémonieusement :

— Son Altesse Royale !

Dernet restait médusé. Bien qu'il eût déjà assisté à ce genre d'exhibition, il ne put s'empêcher de demander à voix basse à Billy :

— Nous sommes bien normaux ? Et moi, j'incarne qui ?

— Celui que vous êtes : un grand peintre que Son Altesse a bien voulu prendre sous sa protection... Compris ?

— Bonsoir !

Ce mot fut jeté avec désinvolture, par Michaëla...

Ce n'était plus la jeune fille du Prater. Tout ce que l'insomnie, la fatigue, le déséquilibre mental pouvaient tuer dans la beauté d'une femme se lisait sur le visage ravagé. Les traits étaient tirés ; dans les yeux agrandis, brillants, toujours beaux, on avait l'impression que de temps en temps une larme furtive voulait passer entre deux lueurs de folie... Les cheveux avaient été stupidement décorés en blond platine... La robe brodée d'or et surchargée de fausses pierreries était tout juste digne d'une Cour de Mardi-Gras... Un lourd manteau d'hermine faisait ployer les épaules trop frêles et un diadème monumental écrasait une pauvre figure, mal fardée, qui aurait pu être celle d'une fillette de douze ans désireuse de singer une mère trop peinte... Tout l'accoutrement avait été exécuté sous les directives ahurissantes de la démente qu'il ne fallait pas contrarier. Et Fraülen Greta suivait, digne, pas à pas, boudinée dans sa robe à franfreluches d'institutrice de bonne maison.

Malgré sa déchéance, Michaëla avait encore le port altier, l'attitude dominatrice... La race des Pally ressortait... Dernet fut même étonné de voir à quel point la folle Michaëla surclassait la raisonnable Isabelle.

— Elle l'écrasera toujours dans l'esprit de Kier ! pensa-t-il.

Le « Bonsoir » lancé négligemment avait glacé tout le monde. Kier s'était avancé pour baiser la petite main couverte de bagues :

— Permettez-moi de vous présenter les quelques personnalités que vous avez daigné convier à votre auguste table ce soir... Son Excellence Alfredo Corona y Martinez, et Madame, ambassadeurs très extraordinaires du Mexique, débarqués ce matin...

— Avez-vous fait une bonne traversée ? demanda Michaëla souriante.

— Mais... idéale... Altesse...

— Ravissante ! continua son Altesse... Votre femme, monsieur l'Ambassadeur, est absolument ravissante... Que pensez-vous de la mort de mon cousin Ruprecht de Bavière ?

Billy s'interposa rapidement :

— Son Excellence m'en parlait quand votre Altesse est entrée... Son Excellence s'est montrée profondément affectée par cette disparition... Pauvre prince Ruprecht !

Un hochement de tête collectif ponctua la mort de ce pauvre Ruprecht que personne n'avait connu, Michaëla n'y pensait déjà plus :

— Monsieur l'Intendant, je ne suis pas mécontente de vous rencontrer. Je n'ai pas encore reçu ces lévriers que l'on m'a annoncés... Remplissez votre office, monsieur l'Intendant ! Vous me présenterez les lévriers demain, à mon petit lever, sinon je me verrai dans l'obligation de demander votre renvoi au Prince Consort...

— Veillez-y, monsieur l'Intendant, lança Kier glacial, Puis il continua, flegmatique :

— Je suis heureux de vous présenter la princesse Isabelle, notre cousine, qui nous arrive d'Italie...

— Charmante ! Véritablement charmante ! Elle a tout à fait le type méditerranéen... Mais c'est très étrange... Il me semble l'avoir déjà vue quelque part ?

— C'est la cinquième fois qu'on lui présente Isabelle, confia. Billy à Dernet. Je ne sais pas pourquoi le patron y tient tant ! Cela finira par faire du grabuge... Michaëla ne la reconnaît jamais et semble l'ignorer pendant le souper...

— Vous n'avez sans doute jamais rencontré M. Dernet ? poursuivit Kier. C'est cependant l'un de ces grands artistes dont vous avez bien voulu apprécier l'œuvre... et qui vous est particulièrement reconnaissant de l'aimable protection que vous lui avez accordée.

— Ah ! C'est possible, après tout... J'aime tant les artistes ! Ils sont débordants de fantaisie et d'imprévu... Vous êtes sculpteur, Monsieur ?

— Dernet, Altesse... Je ne suis que peintre !

— Je n'aime pas votre nom, il est banal... Aimez-vous les œillets ?

— Les œillets ? balbutia Dernet interloqué... C'est-à-dire, Altesse, que c'est l'une des fleurs les plus difficiles à peindre...

— Vous auriez quand même dû m'en apporter, puisque je les adore !

— J'ose espérer que Votre Altesse voudra bien me pardonner...

— Et monsieur l'Intendant ! Qu'est-ce qu'il fait donc, monsieur l'Intendant ? questionna Michaëla dont l'attention ne pouvait plus se fixer sur le moindre sujet de conversation.

— Ce soir... j'ai nettement l'impression que je suis sa tête de turc ! pensa Billy. Ce qui ne l'empêcha pas de dire avec une exquise politesse :

— Si Son Altesse voulait bien me permettre, peut-être pourrait-on passer à la salle à manger ?

— C'est mon désir... Donnez-moi le bras, monsieur l'Ambassadeur...

La table, magnifiquement servie, étincelait du reflet des candélabres sur l'argenterie et le cristal. Derrière chaque chaise, un valet à perruque poudrée se tenait raide, impassible, obséquieux... Le cortège pénétra dans la salle à manger, selon le rite immuable : « Son Altesse » et « l'Ambassadeur », le « Prince Consort » et « l'Ambassadrice », la « Princesse Isabelle » et « le peintre »... « Monsieur l'Intendant », Billy fermait la marche au bras de Fraülein Greta, « la duègne »... Le consommé était dans les tasses, velouté. Kier voulait que la chère fût de qualité à la cour de Son Altesse. Ne fallait-il pas retenir les invités par quelque chose de substantiel ? La qualité des mets suppléerait aux difficultés de la conversation...

Michaëla s'était arrêtée de boire le consommé madrilène. Ses yeux perpétuellement inquiets étaient devenus brusquement farouches :

— Là ! Là ! Qui est-ce ? demanda-t-elle.

Tous les regards se portèrent vers le mur, dans la direction indiquée par la cuiller menaçante de Son Altesse.

— Un très beau portrait de maître, répondit Kier avec son calme imperturbable.

Avant même qu'il eût fini de parler ou que l'un des convives ait pu s'interposer, Michaëla avait quitté sa place et s'était ruée sur le tabeau de Dernet :

— Je ne veux pas ! Je ne veux pas voir cette vilaine femme !... C'est une tête que j'ai déjà vue... que je vois trop ! Que je vois partout, qui me poursuit ! Qui me hait !... Je sais qu'elle voudrait sortir de là pour me détrôner ! Regardez-la : elle me nargue sur mon propre cheval ! Je veux qu'on l'arrête, qu'on l'enchaîne, qu'on me l'amène !

Et la démente commença à lacérer la toile avec ses ongles, en forcenée, s'acharnant à la crever.

— Laissez-la faire, dit Kier. Quand ce sera fini, elle sera satisfaite et se calmera.

Le tableau était en morceaux.

— Son Altesse devrait se remettre à table et reprendre sa place parmi nous ? glissa Fraülein Greta.

Elle-même s'était levée pour accompagner lentement Michaëla jusqu'à son siège. Son Altesse semblait épuisée par sa rage de destruction. Son Altesse était haletante. Son Altesse était surtout pitoyable... Elle trouva quand même la force de dire :

— Servez la suite !... Mais les paroles s'étranglèrent dans sa gorge. Ses yeux fous venaient

de tomber sur Isabelle avec toute la terreur
d'un regard qui se souvient d'une vision d'épou-
vante qu'il ne cherche qu'à fuir :

— Vous! hurla-t-elle. C'est vous qui êtes
venue de l'image! C'est vous que j'ai déjà vue!
Je vous hais! Et vous osez vous asseoir à
ma table? Vous faire inviter par le Prince
quand vous n'êtes que mon ennemie! Je sais
bien que vous voulez régnez à ma place, me
détrôner! Je devine, moi! A mort! Qu'on la
tue!

Elle s'était jetée sur Isabelle qu'elle avait
prise à la gorge en serrant avec ses pauvres
doigts décharnés... Il y eut un râle.

Tous s'étaient levés. Kier avait saisi une ca-
rafe et arrosait la tête de Michaëla pendant que
« les invités » dégageaient une Isabelle plus
blanche qu'une morte... Une Isabelle qui ne
s'était pas défendue parce qu'on ne se bat pas
contre des ombres...

— Ranimez-la! criait Dernet pendant que,
Michaëla, tenue par Alfredo et Kier, se débattait, ruisselante, les cheveux dans la figure :

— Je la tuerai! continuait-elle à hurler. Je la
tuerai!

Fraülein Greta l'entraîna de force au fond de
l'appartement. Les cris se perdirent et furent
remplacés par un silence angoissant.

Billy était resté auprès d'Isabelle, avec Lilian
et Dernet. Ils l'avaient allongée sur le divan,

aux pieds du tableau lacéré. La fille brune ouvrit les yeux :

— Elle est partie ? demanda-t-elle faiblement.

— Mais oui ! C'est fini...

— C'est vous, Billy ?

— C'est bien moi, Billy le clown ! Toujours avec ma partenaire ! Quel numéro nous venons de faire ! Je comprends enfin, Isabelle, pourquoi vous obtenez la faveur du public. Ce n'est pas parce que votre numéro est beau, c'est parce que vous matez la foule. Lorsqu'une femme, solide comme vous, ne se donne même pas la peine de se défendre contre une démente plus faible, c'est que cette femme est terriblement maîtresse d'elle-même... Vous venez d'être admirable, Isabelle ! Comment voulez-vous que ce ne soit pas un jeu d'enfant, pour vous, que de tenir tête à toute une salle qui vous est sympathique et qui ne vous en veut pas ?

— Merci, Billy ! Merci à vous tous ! répondit-elle faiblement... Mais je finis par croire que le patron a raison : sa femme est beaucoup moins folle qu'on ne le croit ! Lorsqu'elle a vu votre toile, Dernet, elle s'est parfaitement rendu compte que c'était « Elle » que vous auriez dû peindre et pas moi, qui ne suis que sa doublure dans le numéro qu'elle a créé...

En ramassant quelques bouts de toile, le peintre ne put s'empêcher de dire avec amertume :

— J'ai pourtant l'impression que c'était ce que j'avais fait de moins mauvais !

— Je vous commande dès maintenant un nouveau portrait, mon vieil ami. Seulement l'écuyère sera Michaëla...

Ainsi venait de s'exprimer Kier en rentrant dans la pièce. Mais lui, au teint d'habitude très coloré, était pâle... Ses grosses mains tremblaient, son regard cherchait à fuir celui d'Isabelle...

Il finit par ramasser son monocle, tombé à terre dans la lutte pour maîtriser la folle et, après l'avoir placé avec minutie devant son œil gauche, il respira longuement avant de dire, presque dans un sourire :

— Excusez-moi, mes amis, pour ce regrettable incident, mais Isabelle doit comprendre comme moi que la vue de ce tableau a réveillé chez ma femme une foule de sentiments enfouis dans le fatras de son pauvre cerveau... Il y a eu une lueur — la première depuis l'accident — bien petite, mais c'est tout de même un rayon vers la vérité ! Dernet, mon ami, votre tableau était sublime, le plus beau de tous, puisqu'il a réussi le miracle de faire réfléchir une démente !

Ils reprirent silencieusement leurs places autour de la table. Seules celles de Michaëla et de sa demoiselle de compagnie restèrent inoccupées.

— Carl, ordonna Kier, faites servir le tur-

bot... Fraülen Greta restera auprès de ma
femme à qui elle donne en ce moment un som-
nifère. Quand Michaëla aura dormi, elle sera
calmée et ne se souviendra plus de rien pour
le souper de demain soir... Bien entendu, je
compte sur vous tous ! Sauf sur Isabelle... Oui,
je pense qu'il sera plus prudent pour vous de
ne pas paraître, pendant quelque temps, à ces
soupers, mais votre numéro tient toujours !
Comme Michaëla ne peut pénétrer dans le cirque, elle ne se doute pas que vous la rempla-
cez... Elle ne le saura jamais ! Si nous parlions
d'autre chose ?

Mais personne n'en eut le courage. Tous, le
nez dans l'assiette, pensaient à la Dame qui
hantait le cirque... Après le sinistre repas, Dernet s'approcha de Kier :

— Je vous en supplie, faites attention ! La
vie de cette jeune femme — il désignait Isabelle — est en danger ! Votre femme la hait, je
l'ai lu dans son regard. Croyez-moi : un por-
traitiste est capable de saisir un regard...

Kier lui prit la main en silence et sortit sans
avoir dit « bonsoir » à personne.

— Lilian... Alfredo ! Vous qui n'aviez jamais
assisté à ces petites séances, je comprends fort
bien que vous soyez étonnés. Vous vous y ferez
à la longue ! On s'habitue à tout dans la vie...
C'est pour cela que moi, Billy, le clown, je ne
me frappe plus : voilà un an que j'assiste quotidiennement au souper de Son Altesse. Cela se

passait bien d'habitude : elle divaguait gentiment... Tandis que, ce soir, elle m'a un peu inquiété. J'avoue que j'ai eu peur pour la première fois ! C'est étrange : quand Michaëla a fait son apparition en piste, à Bruxelles, tout a bien marché pendant ses neuf premiers soirs, mais le dixième !... Ici tout allait bien depuis des mois, et patatras ! Voilà que ça ne tourne plus rond...

— Que va faire Kier ? demanda Alfredo. Il compte vraiment garder cette femme auprès de lui et continuer ses soupers insensés ?

— Il ne pourra jamais se passer d'elle, dit tout doucement Isabelle.

— Il y a une chose, Alfredo, que nous devons vous confier, reprit Billy. Une chose que ma partenaire et moi connaissons bien : la plus grande folie de ce cirque n'est pas celle de Michaëla, mais celle du patron, qui l'aime à en perdre la tête !

Les trapézistes restèrent songeurs. Et Dernet demanda timidement :

— A qui dois-je rendre cet habit, Billy ? J'ai hâte de retrouver mon vieux complet, mon costume tout simple ; je crois que je m'y sentirai plus à l'aise.

LA BARRIÈRE

— Un peu moins de bruit au bar !

Carl venait enfin d'ouvrir la bouche pour calmer les augustes et les clowns de soirée qui
jouaient au poker d'ice sur le comptoir, entre
deux entrées comiques sur la piste. Ils jouaient
tout grimés, engoncés dans leurs oripeaux, af-
fligés de leurs vieilles faces ridées, éternelles...

Kier aussi était là :

— Carl, la place des augustes n'est pas au
bar pendant la représentation, mais à la barrière derrière les valets de piste, prêts à intervenir
pour n'importe quelle éventualité, entre deux
numéros.

Il regarda par la fente du rideau de velours.
La piste ne lui apparaissait que par morceaux ;
les dos écarlates des valets en uniforme à brandebourgs, alignés dans un ordre impeccable,
formaient un écran. Ce passage de quatre mè-

tres, qui joignait la piste aux écuries, constituait la « barrière ».

Toute la vie du cirque était là, dans ce couloir étroit par où les acrobates ou les clowns
les plus illustres faisaient leur « entrée » et
dans lequel se bousculaient les cavaleries ou
les troupeaux d'éléphants. Dans cette barrière
aussi était monté le « tunnel » métallique, qui
canalisait les fauves de leurs roulottes-cages
jusqu'à la grande cage démontable de la piste.
Kier, comme tout bon directeur de cirque, ne
vivait vraiment qu'à la barrière d'où il surveillait son spectacle, avec la crainte du numéro qui flanche et l'amour de celui qui dé-
chaîne l'enthousiasme.

... Les projecteurs suivaient, très haut, les
évolutions des Corona. Quand les corps d'Alfredo et de Lilian étaient lâchés dans le vide,
un frisson secouait la salle. Quand les corps
s'accrochaient aux poignets nerveux de Pablo,
une sorte de détente amenait les applaudissements. Les faisceaux lumineux semblaient mar-
quer les limites de l'espace et la sourdine de
l'orchestre accompagnait le flux et le reflux de
la lumière.

Le regard de Kier, auquel rien n'échappait,
était toujours limité par le même horizon : l'entrée du public en face, le centre de la piste et
quelques morceaux de la banquette rouge. Cela
lui suffisait. Un simple coup d'œil lui donnait
immédiatement la température de la salle, ses

réactions, sa chaleur... Car il y avait plusieurs genres de salles : celle du lundi soir, creuse et polie... Celle du jeudi en matinée, remplie de cris joyeux d'enfants... Celle du vendredi, le soir des nouveaux débuts, réservée aux critiques emphatiques ou aux snobs qui se pâment devant les jeux du cirque auxquels ils ne comprennent cependant rien... Celle du samedi, la meilleure de toutes les salles parce que ceux qui la remplissent savent qu'ils feront la grasse matinée le lendemain... Celle du dimanche soir, enfin, morne, faite d'un public fatigué par la promenade de l'après-midi et triste à l'idée de reprendre le collier de misère le lundi matin...

Isabelle était là, dans son amazone noire, la cravache en main. Billy aussi, méconnaissable sous son maquillage, coiffé d'un faux crâne piriforme sans cheveux, un crâne qui reluirait sous les projecteurs ; un veston quadrillé à larges boutons, un faux-col aux pointes démesurées, des pantalons en tire-bouchon et d'immenses « godillots », bâillant par tous les bords, complétaient une curieuse silhouette qui transpirait déjà sous le fard. Il faisait très chaud pour cette représentation parisienne du 30 juin, la dernière de la saison.

Le lendemain, Kier partait. Son matériel roulant était déjà en route pour Milan.

Un valet, âgé, promenait le cheval dans le couloir circulaire, pour le calmer. Ce valet était le père d'Isabelle, l'ancien dompteur. Il soignait l'étalon noir avec amour et présentait toujours l'étrier à sa fille lorsqu'elle montait en selle. Superbe, ce pur-sang, avec sa longue crinière et de petits damiers qui brillaient sur le poil de la croupe... Isabelle donna le morceau de sucre habituel, le morceau qui précédait le travail, pendant que Kier vérifiait soigneusement les moindres détails du harnachement en cuir blanc de Russie. Avant chaque représentation, le patron passait ainsi l'ultime inspection avec l'œil exercé du maître de cavalerie...

— Il est trop sanglé pour le travail : deux crans de moins !

— Artaban est mal luné ce soir, dit Isabelle. Il ne voulait pas se faire seller et, maintenant qu'il est prêt, il me semble un peu mou.

— C'est un cabot, répondit Kier. Quand il aura « son » public, ça changera. Il lui faut la galerie pour l'applaudir. Tenez-le ferme ce soir et, s'il s'entête, portez légèrement la jambe en arrière du passage des sangles ; battez un peu du mollet plutôt que de presser. Il essaiera tout naturellement de se soustraire au contact, en rejetant ses hanches et son arrière-main du côté opposé à celui de votre jambe. Et tout ira bien.

— Attention ! Mademoiselle Isabelle... Ça va être à vous !

Isabelle était en selle. Le cheval piaffait, maintenu à la bride par le vieux valet. Kier contemplait son chef-d'œuvre équestre qui allait une fois de plus éblouir les Parisiens. Il y eut sur la piste un court silence, qui parut cependant angoissant et fut suivi d'un roulement de tambour, coupé lui-même brutalement par l'arrêt des cymbales... Puis l'orchestre reprit, déchaîné, une marche triomphale de sortie : Alfredo Corona venait d'exécuter pour la millième fois « son » miracle à lui, le triple saut périlleux dans le vide. Les applaudissements éclatèrent, interminables, déferlant des galeries à la banquette rouge.

Le rideau de piste fut tiré violemment ; les trois Corona, en maillots blancs, ruisselants, apparurent en courant, mais les applaudissements les rappelaient... Ils repartirent vers la piste, happés par les feux aveuglants des projecteurs et l'enthousiasme de la foule. Trois, quatre, cinq, six fois de suite ce fut le « rappel », tant désiré par les mauvais numéros et dont les bons finissent par se lasser, tellement ils en ont pris l'habitude.

— Une excellente salle, ce soir, dit doucement Kier à Isabelle.

Tous les soirs il lui répétait la même phrase pour l'encourager, même si la salle était tiède, endormie, sans réactions. C'était dur de « passer » derrière un numéro comme celui des Corona, qui arrachait tout ! Il avait fallu toute la volonté de Kier et tout le cran d'Isabelle pour surmonter la difficulté : accrocher tout de suite après, en quelques secondes, l'attention si fantasque du public. Sinon, toute l'atmosphère du numéro aurait été changée. C'était même la véritable raison qui avait poussé Kier à concevoir l'éblouissante entrée du pur-sang, de la jolie femme et du clown grotesque. Une entrée qui faisait oublier, en un instant, que l'on venait d'assister au prodige aérien. Pour le spectateur, il ne fallait plus penser qu'au nouveau miracle : celui du dressage. Chez Kier, chaque numéro — succédant au précédent sur un rythme accéléré — constituait ainsi un chef-d'œuvre. Ce qui faisait dire au spectateur, à minuit :

— C'était rudement bien ce cirque ! Nous y reviendrons.

La spectatrice approuvait d'un sourire béat, pendant que son époux n'arrivait pas à préciser sa pensée tellement il était ahuri, abasourdi par l'ensemble. Et la grand-mère demandait à son petit-fils :

— Qu'est-ce qui t'a le plus amusé ?

— Les clowns !... Et puis non, les chevaux !... A moins que ce ne soit le monsieur qui en rattrapait un autre en haut du trapèze ? Je ne sais plus ! Tout était si beau !

L'enfant lui-même hésitait, malgré son instinct sûr de gosse. Il était saturé de mouvement, grisé de lumière et de tam-tams. N'était-ce pas là le plus grand triomphe de Kier : étonner les enfants qui s'ennuient si souvent dans ces cirques où seuls s'amusent leurs parents ?

Le dernier accord de la sortie des Corona venait d'être plaqué. L'orchestre changea de rythme : les projecteurs passèrent aux pleins feux ; les obturateurs des disques lumineux s'agrandirent sur la *Marche* de Schubert ; le rideau de piste s'ouvrit... Isabelle n'eut même pas à cravacher l'étalon qui s'engouffra, en dansant, sur la piste. Derrière lui, la banquette rouge fut refermée par les valets à brandebourgs. Isabelle était livrée au cercle de lumière avec des milliers d'yeux tout autour. Le rideau de piste se referma vite. Kier, resté à la même place, suivait le numéro par la fente du rideau. Billy attendait, près de lui, le moment précis où il devrait pénétrer sur piste à son tour. Tous les soirs c'était la même chose.

— Patron, vous avez eu raison de nous faire débuter à Paris. Quand ce public, qui est le plus compréhensif de la terre, nous aime, ce n'est qu'un jeu d'enfant, ensuite, d'avoir pour nous tous les autres.

— Ça va être à vous, Billy, répondit Kier, sans quitter des yeux la piste. Faites attention ! Hier soir vous êtes entré en piste une seconde trop tard. Il faut jeter votre exclamation d'entrée dès que vous enjambez la banquette. Essayez donc un truc ce soir : commencez à parler d'ici, derrière le rideau. Isabelle termine son tour de présentation.

Les applaudissements croulaient : une fois de plus la partie était gagnée.

— A vous, Billy !

— *Aôh !* hurla Billy par la fente du rideau. *Je cherche une jolie « Mâdame »... Je ne suis pas content du tout !...*

Il était déjà juché sur la banquette rouge :

— *Aôh ! Very curious !... Elle est là, la belle Mâdame de « mon » pensée... Vous ne me reconnaissez pas ?*

Billy était maintenant au centre de la piste :

— *Je vous ai rencontrée ce matin au Bois de Boulogne. Je vous ai offert, belle « Mâdame » un beau bouquet de myosotis et vous ne m'avez pas répondu ! Pouquoâ ? Ce n'est pas chic ! Je suis pourtant le plus élégant des gentlemen... C'était moi, Billy, qui vous aimais ce matin, sous les arbres, et qui vous adore encore plus dans ce Palais de lumière ! Déjà, ce matin, je voulais vous suivre pour la vie, mais vous étiez sur quatre pattes et moi sur deux !... Je courais... Je courais... avec mes myosotis !*

Et le pauvre hère continuait à courir derrière le cheval. Le rideau de piste s'était refermé sur des éclats de rire. Les flonflons de l'orchestre étaient coupés par les exclamations sonores de Billy : la ponctuation à laquelle la belle écuyère ne prêtait aucune attention. Le ver de terre enfariné, amoureux éperdu, n'obtenait même pas le plus petit sourire de l'étoile...

Carl était derrière Kier.

— Il est beau ce numéro, Patron !

— Il est simplement au point. Nous pouvons partir tranquilles demain.

— Patron, ajouta à voix très basse le secrétaire, la roulotte spéciale de Mme Kier vient d'arriver de chez le carrossier... Désirez-vous l'inspecter une dernière fois avant le départ de cette nuit ?

— Inutile, Carl, je la connais dans ses moindres détails ! Veillez à ce que Madame y soit transportée après le souper, dès que le narcotique aura produit son effet.

Six fois déjà l'orchestre avait changé de rythme et, six fois, le pur-sang, conduit par la main sûre d'Isabelle, avait changé de pas sous les applaudissements de la foule. L'orchestre préludait pour la valse finale. Kier satisfait se retourna souriant — pour la première fois peut-être depuis des années — vers son collaborateur :

— Décidément, j'aime Paris ! Cette ville juge avec esprit ce que j'essaie de lui présenter avec tact et...

Sa phrase fut interrompue par un cri déchirant, un cri parti de la piste... Kier s'était précipité, mais les valets de piste obstruaient la barrière dans un affolement indescriptible. Tout le Cirque d'Hiver poussait maintenant une immense clameur, qui se prolongeait...

— Vite, cria un valet, les brancards ! Le médecin de service !

Le rideau de piste fut arraché par le galop

de l'étalon apeuré que Kier arrêta avec difficulté, après s'être pendu à la bride. Le cheval
était seul, sans cavalière, la selle retournée. Un
groupe de valets suivait, maîtrisant une femme
échevelée, recouverte d'un manteau d'hermine,
les yeux hagards, qui hurlait :

— Je l'ai tuée ! Enfin ! Je suis contente !
Tuée ! Elle ne descendra plus jamais de son
cadre ! Tuée !

Kier s'approcha et enfonça dans la bouche
de la démente hystérique un mouchoir pour la
faire taire. Michaëla se débattait : le rictus de
folie contractait son visage, le regard brillait
d'une lueur inhumaine, tout son être exhalait
une joie insensée...

— Conduisez-la immédiatement à sa roulotte !

Le brancard suivait, doucement, — entouré
par une foule de gens inutiles — portant une
Isabelle inerte ; un mince filet de sang coulait
de la bouche. Son visage, si calme d'habitude,
exprimait une terreur indicible. Les yeux restaient grand ouverts, fixes. Le corps semblait
disloqué sur le brancard, cassé, ratatiné... Billy
suivait, le maquillage dégoulinant.

— Michaëla s'est échappée, dit le clown à
Kier. Elle a sûrement trompé la vigilance de
ses gardiennes pour pénétrer dans le cirque et,
au moment précis où Isabelle commençait la
valse finale, elle a surgi — vêtue de tout son ap-
parat de souper — par le « vomitoire » de gau-

che du public. Elle a descendu les gradins en hurlant jusqu'à la banquette et s'est précipitée à la tête de l'étalon, comme une furie. La bête s'est cabrée, la selle s'est retournée, Isabelle, est tombée. Sa nuque a frappé la banquette...

Fraülein Greta accourait :

— Monsieur Kier, monsieur Kier ! Son Altesse n'est plus dans sa chambre !

— Nous le savons, répondit le patron avec calme. Son Altesse a préféré rejoindre sa roulotte... Occupez-vous d'elle, et veillez à ce qu'elle ne manque de rien !

Il s'était penché sur le brancard d'Isabelle. Le docteur était déjà là, agenouillé, la tête contre la poitrine de la jeune femme. Il écoutait, au milieu du petit cercle silencieux formé par Alfredo, Lilian — dans leurs peignoirs de repos — et les augustes de soirée.

— C'est fini ? demanda Kier.

— Je crains que ce ne soit plus qu'une question d'heures, répondit le docteur, laconique. Demandez d'urgence une ambulance !

Kier donna l'ordre, puis se retournant vers Carl :

— Pourquoi le chef d'orchestre n'enchaîne-t-il pas !

L'orchestre reprit la *Marche* de Souza, à pleins cuivres, pour essayer de couvrir les rumeurs déjà hostiles du public.

— Qu'est-ce que vous faites là, messieurs les augustes ? continua Kier, glacial. Votre place est sur la piste, en ce moment, pour meubler cet intervalle imprévu jusqu'à ce que le numéro des cyclistes ait fait son entrée.

— En piste les augustes ! cria Carl.

Les faces peinturlurées des champions du gros rire s'engouffrèrent dans la barrière, happés par les projecteurs, en poussant des cris inarticulés, sur la *Marche* de Souza. Le charivari monstre recommençait avec ses culbutes et ses claques sonores qui font tout oublier, dans l'éternel nuage de poussière...

Les cyclistes apportaient, en toute hâte, leurs énormes monocycles et leurs minuscules bicyclettes de poupées. L'orchestre, jouant de plus en plus fort, arriva peu à peu, renforcé par les cris des augustes, à couvrir le brouhaha de la salle. Les spectateurs, qui s'étaient levés d'un bloc à l'apparition de la démente, se rasseyaient un à un ; des femmes à demi évanouies se ranimaient ; les visages reprenaient des couleurs. Le brancard d'Isabelle avait disparu. Les valets avaient repris leurs places, alignés en ordre impeccable, à la barrière. Le rideau de piste s'était refermé, la représentation continuait...

Un numéro disparaît, un autre le remplace. La vie du cirque est trop intense, trop brève aussi, pour qu'on puisse y perdre son temps en jérémiades inutiles.

LA CHAMBRE BLANCHE

La clinique de Neuilly était silencieuse, entourée par son parc.

Après avoir suivi l'interminable couloir du premier étage, Kier s'arrêta devant une porte et hésita quelques instants avant de frapper. « Voilà déjà un an qu'elle a eu son accident », pensait-il, puis il se décida enfin. Une voix calme répondit. Il ouvrit doucement la porte...

Isabelle était là, sur un lit surélevé où toute sa souffrance, physique et morale, s'était affalée. Une Isabelle immobile, dont le corps et la tête étaient emprisonnés dans un carcan de plâtre.

Kier s'approcha du lit. Le regard, qui restait la seule expression de vie dans le corps inerte de la jeune femme, exprima l'étonnement et la joie. Il semblait même que toute la volonté d'Isabelle se tendait dans l'espoir insensé d'accomplir l'effort surhumain qui lui permettrait d'entourer de ses bras le cou de son visiteur, mais les bras restèrent immobiles...

Kier et elle se regardaient, intensément, sans se préoccuper du temps.

— Vous ici ? finit-elle par dire.

— Oui. Le cirque redescend vers l'Espagne. Comme nous passions près de Paris, j'ai tenu à faire ce crochet pour vous rendre visite. Vous voyez : j'ai choisi une belle journée... La chaleur entre à flots dans votre chambre ! N'est-ce pas une journée de soleil ? Une journée à surprises ?

— Je vous attendais depuis si longtemps...

— Je le sais... J'ai reçu toutes les lettres que vous avez dictées à votre infirmière.

— ... Et je connais vos réponses par cœur : « *Ne croyez surtout pas, chère Isabelle, que je vous oublie ! Je pense sans cesse à vous qui avez été ma merveilleuse élève... J'y pense même tellement que je n'essaierai plus jamais d'en former une autre... Mais je dois aussi tourner dans le monde avec mon cirque pour faire vivre tous les gens qui ont confiance en moi... Je ne pourrai revenir vous voir que quand mon travail m'amènera dans vos parages et pas avant ! Je ne pense pas pouvoir revenir pour vous seule...* » C'était bien cela, n'est-ce pas, qu'exprimaient toutes vos lettres ?

— Vous êtes dure pour moi !

— Non ! C'est vous qui l'êtes pour ceux qui vous ont bien servi. Et vous devez avoir raison. Il faut être ainsi si l'on veut réussir dans notre métier : ne jamais laisser un bout de sentiment s'infiltrer dans le travail. Seulement, c'est horrible de rester seule dans une chambre de clinique, paralysée, quand on sait que cela durera le reste de l'existence et que l'on a vingt-trois ans !

— Allons ! Je viens de parler pendant plus d'une heure avec vos médecins. Je sais que vous êtes rétablie.

— C'est-à-dire que je n'irai jamais mieux !

— Les docteurs m'ont affirmé qu'il n'y avait aucun empêchement à ce que vous quittiez cette clinique exaspérante pour vous.

— Ils n'oublient qu'une chose : c'est que, sortie d'ici, je ne serai plus qu'une gêne ou un remords pour tous ! Que voulez-vous que je fasse, immobilisée dans cette gouttière de plâtre ?

— Et votre tête, elle ne compte pas ? Elle me semble toujours aussi solide ! Il y a trop de gens qui se croient forts parce qu'ils ont l'usage de tout leur corps mais qui, en réalité, ne sont que des faibles parce qu'ils n'ont pas de cerveau.

— Comment va Mme Kier ?

— Elle est toujours dans l'asile de Hambourg, où j'ai dû la faire reconduire, par ordre de la police, le lendemain de votre accident.

— Répondez-moi franchement : si la police ne vous en avait pas donné l'ordre, l'auriez-vous fait enfermer à nouveau ?

— Je ne le pense pas...

— Vous l'aimez donc à ce point ?

— Je l'aime.

Il avait prononcé cet aveu presque à voix basse et continua très humble :

— Vous ne pouvez pas m'en vouloir ! Comprenez que Michaëla restera toujours pour moi « la » Femme... Cet être de chair et d'orgueil, de fantaisie et de folie qui a marqué toute ma vie ! Le véritable drame a commencé le matin où j'ai eu l'idée insensée d'aller caracoler sur le Prater... Cette rencontre m'a insufflé le désir fou de faire d'elle la plus belle chose du monde. J'ai tenté l'expérience dans mon métier parce que c'était le seul que je connaissais vraiment, mais je pense que si ce métier ne l'avait pas passionnée, je n'aurais pas hésité à changer de profession pour en apprendre une qui lui aurait plu et l'y faire réussir selon ses désirs d'enfant gâtée... Ne croyez-vous pas que ce soit un peu cela, l'amour ?

— Il peut être plus simple aussi. Une véritable amoureuse ne demande pas à l'homme qu'elle aime de changer de profession !

— Michaëla ne me l'a pas demandé ! Et cependant, elle n'a jamais été amoureuse de moi...

— Elle l'était de votre réussite et rêvait d'un triomphe comparable au vôtre. Elle ne pouvait pas comprendre que ce qu'il y a de plus beau dans notre métier, c'est d'y être né. Nos familles sont de vieilles et authentiques dynasties du cirque, Hermann Kier ! Ce n'est pas le cas des barons Pally ou de leurs filles !

— Pourquoi cette jalousie inutile puisque vous repartez avec nous ? Je l'ai décidé et je le veux ! Je vous ai fait aménager une roulotte spéciale et construire une petite voiture qui vous permettra de vous déplacer dans tout le cirque.

— Qui me poussera ? demanda-t-elle, amère.

— Nous tous ! N'y pensez donc pas ! C'est moi qui ai besoin de vous, Isabelle... de vos idées ! Mais oui ! Je ne vis actuellement que sur ma publicité, sur la vitesse acquise. Malheureusement, dans notre métier, il faut se renouveler sans cesse ! Et j'ai l'impression de ne plus en avoir la force...

— Parce que Michaëla vous manque ! Même lorsqu'elle était folle, à demi prisonnière dans votre cirque, sa présence vous inspirait et, si vous m'avez fait travailler pour reformer ce numéro équestre, ce n'était qu'avec l'espoir insensé que j'arriverais à lui ressembler ! Je l'ai peut-être égalée techniquement mais jamais dans vos pensées, ni dans votre cœur... Je dois reconnaître qu'elle avait une personnalité extraordinaire ! Je ne me suis jamais fait beaucoup d'illusions ! Je sais que je vous ai toujours paru froide, distante et que, après tout,

je n'étais à vos yeux qu'une enfant de la balle !
Pendant des heures, ici, emmurée dans ce plâtre, j'ai pensé : « Bien que cette Michaëla soit
à nouveau enfermée actuellement dans un asile, elle restera quand même et toujours à ses
yeux — les vôtres, Kier ! — une grande dame
dont la race continuera à écraser mes origines...
C'est plus fort qu'Elle, que Lui, que moi ! »
Après avoir été dompteur, mon père est redevenu valet de piste et ma mère n'est plus qu'une
humble ouvreuse... Voilà toute la différence !
L'Aristocrate a bien voulu venir au cirque dont
l'ambiance l'amusait tandis que je n'ai fait que
continuer une tradition ! Croyez que je comprends très bien pourquoi une Michaëla vous
a ébloui et pourquoi vous ne m'avez jamais regardée autrement que comme un instrument de
travail ou un gage de succès...

— Même en supposant un instant que vous ne
me manquiez pas à moi, je sais que le cirque
a besoin de vous ! Vous devez revenir là où
votre vie est inscrite.

— En somme ce serait la paralytique qui
remplacerait la démente ?

— Si vous voulez ! Vous-même n'en pouvez
plus de cette chambre trop blanche, ni de la
vue de ce parc avec ses platanes immobiles dont
les feuilles sont agitées, à de rares moments,
par un vent tiède : votre horizon a besoin d'une
vie plus intense !

Ces feuilles, que Isabelle apercevait par la

fenêtre entrouverte n'étaient plus secouées depuis de longues journées mais il sembla, subitement, qu'elles se mettaient à trembler, voltiger, danser, tourbillonner, parce que, d'en bas, montaient, sonores, les flonflons d'un orchestre. Pour le grand public, ce n'aurait été qu'un orphéon ; pour Isabelle, c'était le plus bel orchestre du monde puisqu'il jouait « de la musique de cirque »...

Elle essaya de s'arracher à son carcan, mais Kier avait prévu cette réaction nerveuse et la maintint, de toute sa force herculéenne, clouée sur le traversin. C'était cependant un Kier souriant... Tout le cirque était en train d'envahir la chambre, par bouffées de musique. Les notes cuivrées, coupées par les tintements de cymbales, montaient le long du lit, s'accrochaient aux draps blancs... Tous les airs connus du cirque y passaient. Sur la Marche d'ouverture, Kier, — aidé de la garde-malade qui était entrée, souriante elle aussi — avait poussé, avec d'infinies précautions, le lit d'Isabelle près de la fenêtre.

— Nous sommes jeudi, Isabelle, dit doucement le patron. C'est très normal que nous donnions une matinée ! Au lieu que ce soit pour les enfants, c'est à vous qu'elle est réservée. Ainsi l'ont voulu tous vos camarades...

L'orchestre venait d'attaquer la *Marche* de Souza. Le charivari monstre se donnait, en bas, sur la pelouse du parc, avec les exclamations joyeuses des augustes dont Isabelle, toujours allongée, reconnaissait les voix... Des voix éraillées d'avoir trop crié dans toutes les villes du monde, des voix qui semblaient aussi avoir vieilli depuis le soir de l'accident : une année de plus s'était écoulée. La fille paralysée les écoutait quand même, avidement :

— C'est drôle, je n'entends pas la voix de Tonny ?

— Il est mort, répondit Kier. D'une bonne cuite : la dernière ! La plus belle... On l'a ramassé, un matin d'hiver, glacé et raide, à l'entrée des écuries, à Bucarest...

— Pauvre vieux Tonny !

Elle revit en mémoire la face lunaire et simiesque tout à la fois, le bon « pif » en carton qui en cachait un autre, aussi rouge mais naturel.

Elle vit ainsi défiler dans sa tête tous les numéros au fur et à mesure que l'orchestre exécutait leur partition...

Elle savait déjà que le spectacle du grand Kier se déroulait en bas, impeccable, mais comme elle ne pouvait pas se pencher, elle se contenta de regarder le plafond blanc comme si c'était un écran géant sur lequel une foule de personnages bariolés et imaginaires s'agitaient... Culbutes et sauts périlleux se succédaient... Si Isabelle avait connu Chéret, elle aurait cru voir colombines en tutus ou pierrettes à gros pompons noirs sur costumes de satin blanc. Peut-être même la farandole, qui continuait à tourbillonner dans son imagination, aurait-elle animé une fresque italienne de Tiepolo ? Et la musique ne voulait plus s'arrêter : c'était le fond sonore de la sarabande effrénée. Tous souriaient dans l'imagination de la jeune femme et semblaient lui dire de leur plafond :

— Viens, Isabelle ! Nous t'attendons ! Viens rejoindre notre joyeuse bande enfarinée, qui est venue te chercher... Aujourd'hui, si nous jouons avec tant de brio et tant d'amour, c'est uniquement parce que nous savons que tu nous écoutes de ton lit blanc, même si tu ne peux pas nous voir et que « le patron » est près de toi !

Et elle commença à sourire à son tour :

— Les antipodistes !... dit-elle en entendant l'orchestre changer de rythme.

— Les Corona !... C'était la valse lente en sourdine.

— Voici l'heure de mon numéro, dit Kier. Je descends pour entrer en piste...

Il retira son manteau de demi-saison et apparut dans son habit noir, immuable, le costume sans lequel il estimait qu'il n'y avait pas de numéro possible... L'habit noir qui allait évoluer sous le soleil, remplaçant pour une fois les projecteurs multicolores.

— Je reviendrai tout à l'heure...

L'infirmière resta là, racontant à Isabelle ce qu'elle voyait par la fenêtre :

— Oh! cette femme rousse, comme elle est belle! Il la rattrape dans le vide!

— Lilian! murmura Isabelle.

— Et ce splendide garçon brun qui tourbillonne entre deux trapèzes! C'est magnifique en plein air! Heureusement que la pelouse est grande!

— La tente n'est pas montée?

— Non. Il n'y a que le cercle rouge de la piste sur le gazon. Ils ont fait leurs préparatifs dans le plus grand silence, cette nuit, avec l'autorisation du directeur de la clinique. Tous les médecins sont en bas, assis autour de la piste, avec les infirmières... Et les malades sont à leurs fenêtres, les uns en pyjama, d'autres en chemise de nuit... Si vous pouviez voir comme ils rient!

— Au fond, il est assez juste que je sois la seule à ne pas voir ces merveilles... Ne suis-je pas l'unique habitante de cette clinique à connaître le programme par cœur?

Mais elle s'arrêta brusquement de parler. Elle venait d'entendre, montant de la pelouse, la *Marche* de Schubert qui lui servait d'entrée pour son numéro. Et une voix, qu'elle aurait reconnue entre mille, éclata, joyeuse:

— *Aôh!... Je cherche une jolie femme! Aôh!... Very curious... Elle est là-haut, ma belle Mâdame, à côté d'une fenêtre du premier étage... Bonjour belle jeune Mâdame! Vous ne me reconnaissez pas?*

— Oh si ! Billy ! pensa Isabelle. Je te retrouve, mon vieux partenaire !

— *Peut-être ne m'entendez-vous pas ?* reprit la voix plus forte.

— Quel curieux numéro ! remarqua l'infirmière toujours assise sur le rebord de la fenêtre. C'est un clown tout seul, au milieu de la piste... Il tourne, tourne, comme s'il courait vraiment après une femme invisible sur la piste...

— Il n'y a pas de cheval ?

— Pas de cheval ! Le clown est tout seul et il cherche...

— C'est moi qu'il cherche, murmura Isabelle. Ecoutez... L'orchestre joue la fin de la *Marche* de Schubert. Il passe au paso-doble du pas espagnol...

La voix du clown, invisible pour elle, reprenait :

— *Je vous ai rencontrée ce matin au Bois de Boulogne. Je vous ai offert un bouquet de myosotis et vous ne m'avez pas répondu... Ce n'est pas gentil !*

— Billy, hurla Isabelle, ce que tu fais en ce moment, ce que vous faites tous est à la fois merveilleux et affreux pour moi ! Vous redonnez mon numéro pour moi seule, afin que je me souvienne... Il n'y a pas d'étalon, pas d'amazone, parce que Kier n'a pas voulu en chercher une depuis moi ! J'ai donc été la seule, après sa Michaëla, à me rapprocher le plus de son rêve équestre !

La voix du clown continuait :

— *Je suis cependant le plus doux des gentlemen !*

L'orchestre couvrait maintenant ses paroles. Les yeux d'Isabelle supplièrent l'infirmière :

— Vais-je donc mourir pour qu'ils reconstituent ainsi le plus beau moment de ma vie ?

De grosses gouttes de sueur perlaient sur son front. Tout son corps était moite. Le regard si dur d'habitude, était noyé de larmes... Il se raccrochait désespérément à un plafond blanc, nu, sur lequel des personnages imaginaires évoluaient parce que, en bas, les vrais évoquaient tout avec leurs cris et leur musique.

— Le prélude de la valse ! dit plus faiblement Isabelle. Elle compta :

— Un ! deux ! trois !

Et, sur une valse de Vienne, elle commença à rêver... Pour la première fois, depuis des mois, ses pensées flottèrent, légères... Elle voyait son cheval tourbillonner au centre d'une piste et des têtes de spectateurs qui se balançaient en cadence...

— Je veux vivre ! hurla-t-elle très fort. Je veux guérir ! Pour la beauté de ce numéro ! Et si je reste paralysée, j'aiderai quand même Kier à le remonter avec une autre !

Les applaudissements éclataient en bas et à toutes les fenêtres de la clinique :

— Je me demande ce qu'ils applaudissent ? dit l'infirmière. Ce numéro n'est pas drôle... Il serait même plutôt triste avec ce clown solitaire. On sent qu'il y manque quelque chose....

— Ou quelqu'un ! murmura doucement Isabelle.

L'orchestre avait plaqué un accord et changeait déjà de rythme :

— Les cyclistes ! pensa l'écuyère.

La porte de la chambre venait de s'ouvrir et Billy bondit près du lit. Sa face enfarinée, au maquillage dégoulinant sous l'effet du soleil, contrastait avec le visage dépouillé et brillant de la paralytique :

— Bonjour, ma partenaire !

— Mon Billy !

— Billy le clown qui se penche, heureux, sur « sa belle Madame » irremplaçable...

— Vous me rendez tous folle de joie ! Je n'ai pas pu vous voir, mais je sais que vous étiez seul en piste.

L'infirmière s'était retirée.

— Isabelle, je ne peux pas m'habituer à l'idée de remonter le numéro sans vous ! Le patron non plus ! Alors il n'y a plus de numéro d'écuyère au programme ! Kier n'a pas eu de chance avec ce numéro : il faut croire qu'il était trop grand ou trop beau ! Oublions-le, voulez-vous ? Et je profite de ce que le patron n'est pas là pour vous parler vite de lui : ça ne va pas au cirque... Le public vient toujours, mais Kier

151

n'est plus dans son élément. Il ne s'intéresse plus à son affaire : c'est grave ! Si nous continuons ainsi, il faudra congédier tout le monde avant un an et plier définitivement la tente. L'âme du chef n'y est pas ! Pensez qu'il ne vient plus jamais à la barrière, pour surveiller la marche de son spectacle ! Pendant la représentation, il erre autour du cirque ou reste enfermé dans sa roulotte : il doit y relire pour la centième fois l'album de l'Argus, qui relate la carrière trop courte de Michaëla... Vous seule pouvez nous tirer de là, Isabelle ! Il faut que vous preniez la direction du cirque !

— Dans mon état !

— Vous êtes immobilisée physiquement. Mais c'est le cerveau qui commande tout dans une ville ambulante comme la nôtre. Votre cerveau est bien d'aplomb : il continuera à nous mener au succès ! Celui de Kier est usé, trop las... Et puis vous êtes « du métier » comme nous tous. Pourquoi a-t-il fallu que cette Hongroise entrât un jour dans notre milieu, pourtant si fermé d'habitude ?

— Elle aimait le cirque, Billy... Elle vous a tous aimés !

— Mais nous aussi nous l'aimions ! Seulement son monde était trop haut placé pour le nôtre... Elle n'est descendue sur la piste qu'avec ses caprices qui se sont vite transformés en folie, sous l'effet du premier choc. C'est là que notre malheur à tous a commencé ! Cette femme est retournée dans la clinique de Hambourg ; elle ne doit plus jamais la quitter, vous m'entendez ?

— Kier songerait donc à la faire sortir à nouveau ?

— Il ne pense qu'à cela ? Cette idée fixe le mine... Mais comme il lui est interdit de ramener Michaëla au cirque, il ne lui reste que deux solutions : se faire enfermer avec elle à Hambourg ou l'enfermer, avec lui, quelque part, dans une propriété lointaine, isolée, entourée de murs énormes d'où ils ne sortiront jamais... Michaëla n'a plus le droit de rester en liberté ! De toute façon, le patron, qui a un besoin impérieux de sa présence, doit quitter le cirque le plus tôt possible ! Nous voulons tous qu'il soit heureux, et il ne le sera que de cette façon... Je n'aurais jamais cru que l'amour d'une femme pût prendre une telle emprise sur un homme aussi fort pour qui l'amour de son métier passait avant tout ! Il n'y a que vous à pouvoir le remplacer. Vous avez toutes ses idées : c'est lui qui vous a formée ! Je vous le demande au nom de tout le cirque.

Une fois de plus, l'orchestre venait de changer de rythme.

— Les cyclistes ont terminé, dit Isabelle.

Sur une valse de Vienne, Hermann Kier venait de faire son entrée sur la piste ensoleillée. Isabelle revoyait sur l'écran imaginaire du plafond les vingt-quatre étalons noirs, superbes. Elle revoyait surtout ce qui avait fait la noblesse de Kier depuis des années, de ce Kier hautain, cassant et admirable dans son habit noir... Mais les confidences de Billy venaient de transformer brusquement cet étonnant personnage de parade en un pauvre homme qui était mort pour le cirque depuis qu'il s'était laissé dominer par le cœur... Isabelle comprenait qu'il n'était malheureux, au sommet de sa réussite, que parce qu'il s'était montré un homme aussi faible que les autres devant l'amour. Au fond, n'était-il pas un peu comme elle qui adorait encore davantage ce Kier — son Dieu sur terre — maintenant qu'elle savait ne jamais pouvoir lui appartenir ? Comment pourrait-il vouloir d'elle aujourd'hui, alors qu'il ne l'avait même pas regardée avec le moindre désir lorsqu'elle était belle et solide ?

— Vous avez raison, Billy. Il faut que le patron vive avec Michaëla et pour Elle seule ! Je le remplacerai à la tête de son cirque... Comme c'est étrange de penser qu'il n'y aura eu que deux femmes dans sa vie pourtant si riche d'expérience ! L'une fut et restera toujours « son » amour, l'autre n'aura été qu'un instrument de travail... Puisque ma destinée est de n'être que « sa » réussite, je vais continuer... Je ne paraîtrai jamais en piste, mais, de ma voiture d'infirme je ferai tout pour faire vivre sa maison. On me poussera jusqu'à la barrière tous les soirs... Et lui, pendant ce temps, pour-

ra se consacrer à la folie de son unique amour !
Grâce à moi, il saura que le nom de sa firme
continue à briller à travers le monde ; ce sera
une sorte de preuve de mon amour à moi...

En bas, l'orchestre jouait la retraite dont
les notes martiales semblaient dire :

— Au revoir et merci ! Nous nous retrouverons demain... ou plus tard ! Merci d'être venus nous applaudir ! Notre cirque continuera
à jouer tous les jours que le Bon Dieu fera...
Et ceci, malgré la retraite ! On ne prend jamais sa retraite, chez nous...

La porte de la chambre fut poussée violemment. Une vague de têtes hilares et bariolées fit son entrée. Toutes se bousculaient autour du lit :

— Beppo ! Oscar ! Calino ! Théodore !

C'était le charivari lui-même, avec son nain
qui se haussait sur la pointe des pieds pour
arriver à hauteur du traversin.

— Mes amis...

Les amis, après avoir poussé toutes les exclamations possibles, se taisaient maintenant,
secouant la sciure qu'ils avaient apportée avec
eux... Cette fois ce n'était plus uniquement la
musique mais tout le Cirque qui venait d'envahir la chambre blanche... Le Cirque avec sa
misère éternelle peinte à gros traits sur des
figures faméliques et ses corps disloqués depuis leur enfance...

Théodore, le doyen des augustes, était là

avec ses soixante-dix ans et sa face ratatinée...
Théodore, l'éternel bégayeur qui perdait son
ratelier sur la piste, en pleine culbute ou
lorsqu'il recevait une claque, pour la plus
grande joie du public qui croyait que c'était
fait exprès. Bien sûr, il ignorait, le public, que
Théodore avait eu un jour la mâchoire arra-
chée en se pendant, par les dents, dans le vide
à trente mètres en haut... Il était célèbre à cette
époque et il brillait dans le firmament du cirque. Il ne s'appelait pas non plus Théodore,
mais *The Great Angelo*... Depuis « son » accident — ne fallait-il pas qu'ils eussent tous
le leur ? — il avait remis ça modestement, et
il se roulait sur le tapis accompagné par la
Marche de Souza, pendant que d'autres re-
cueillaient là-haut les lauriers de la gloire éphémère. Du moment qu'il faisait encore rire quelques gosses, cela lui suffisait : il était heureux...
Que lui importait, après tout, que le gros public ne l'applaudisse guère et le remarque à
peine dans le charivari ou parmi ses camarades qui avaient tous appartenu à de grands
numéros oubliés ? La philosophie de la piste
lui avait appris depuis longtemps que le public est ingrat et qu'il court toujours après la
vedette du moment...

— Alfredo ! Lilian !

— Isabelle ! Il y a si longtemps que nous ne
nous sommes embrassées !

Lilian s'était penchée vers l'infirme et le baiser de celle qui descendait de son trapèze, encore frémissante des acclamations, pour celle qui ne retrouverait plus jamais le cœur de la foule ne fut pas un baiser ordinaire.

— Il faut revenir parmi nous, Isabelle ! dit Alfredo.

— « Nous avons besoin de vous », semblaient surenchérir toutes les faces des augustes.

— C'est moi qui vous pousserai dans votre petite voiture ! affirma Ulysse, le nain.

Kier venait d'entrer à son tour.

— Vous acceptez, Isabelle ? Vous vivrez dans le cirque. Je vous avais dit qu'ils s'occuperaient tous de vous, à tour de rôle...

— Comme de Michaëla ? demanda sèchement la paralytique. Il y eut un silence, fait de gêne, avant que Kier n'eût répondu avec une réelle douceur :

— Non. Ce ne sera jamais la même chose... Cette fois, c'est un cerveau qui manque au cirque...

— J'accepte... à une seule condition que je ne dirai qu'à vous, Kier.

Il se retourna vers sa troupe :

— Attendez-moi dans le couloir, je vous en prie. Tous sortirent, un par un, anxieux. Quand ils furent seuls, face à face, Kier dit avec calme :

— Je vous écoute, Isabelle...

— Patron ! Si je vous appelle ainsi, c'est pour ne pas vous dire Hermann, prénom que je n'ai pas le droit de prononcer puisqu'il est resté l'un des privilèges de la folle !... Je veux bien rentrer au cirque, le diriger même sans vous ! Je pense sincèrement qu'il n'y aurait pas de place pour nous deux et que nous éprouverions un mal infini à nous supporter mutuellement... « Sa » présence lointaine, mais cependant lancinante, se dresserait toujours entre nous ! Aussi, dès demain matin, vous partirez à la recherche d'une propriété dans le Midi de la France ou en Italie, de toute façon dans un pays qui soit inondé de soleil... Croyez-moi : celui-ci vous aidera à passer les moments difficiles ! Il faudrait aussi que le parc fût immense et entouré de murs très élevés qu'Elle ne pourra pas franchir... La résidence doit être royale, digne de Son Altesse... Vous conserverez Carl auprès de vous, comme intendant, et vous choisirez les meilleurs parmi vos valets de piste — ceux qui vous aiment — pour monter la garde et servir Michaëla... Je pense que, dans ce palais d'une nouvelle Princesse Lointaine, vous pourrez donner pour Elle les fêtes les plus fastueuses pendant lesquelles sa folie se donnera libre cours... Ainsi, elle sera surveillée aussi étroitement qu'à Hambourg, mais pour vous qui l'adorez, ce qui sera mieux pour elle... et pour vous ! Pendant ce temps, je continuerai à faire rayonner le Cirque dans le monde. Ça marchera ! Je vous le promets... Jour par jour, à chaque étape, je vous enverrai un compte rendu détaillé que je dicterai à Billy. Je surveillerai tout, puisque la seule chose qui me reste au monde est l'amour du cirque, à défaut de cet amour humain que vous n'avez jamais éprouvé pour moi... Vous comprenez peut-être maintenant pourquoi je tenais à être seule pendant un instant avec vous ? Vis-à-vis de votre personnel, je continuerai à ne vous faire passer, à mes yeux, que comme « mon patron », mais aujourd'hui il fallait que vous appreniez la vérité que vous n'avez même pas été capable de découvrir vous-même ! Je vous ai toujours aimé, Hermann... Je vous aimerai jusqu'à ma mort... Sans doute ne vous l'aurais-je jamais dit si nous ne devions pas vivre désormais séparés...

— Je crois, en effet, que seul l'amour peut dicter votre conduite... Mais que puis-je vous répondre sinon que moi aussi, j'aimerai Michaëla jusqu'à ma mort ! Et vous n'avez pas le droit de m'en vouloir !

— Je ne vous en veux pas et je finis par croire que mon amour pour vous doit être bien petit, comparé au vôtre pour Michaëla ! En effet, sur l'offre que je viens de vous faire, vous ne vous êtes même pas révolté un seul instant à l'idée de quitter ce cirque, qui est toute votre œuvre ! Vous trouverez cela naturel, du moment que c'est pour Michaëla ! Savez-vous que c'est très beau et que ce doit être assez rare d'aimer sa femme ainsi ? Hermann Kier, vous êtes encore plus grand que je ne le croyais ! Je ne peux pas vous tendre la main, parce qu'elle est inerte et mes doigts glacés, mais mon cœur brûlant vous serre très fort contre lui en pensée... Au revoir, patron ! Ce ne sera plus nécessaire de nous revoir... Envoyez-moi Carl, il me mettra au courant de votre tournée actuelle. Dites à tous les autres que j'accepte, mais ne leur parlez pas de votre départ, ce serait maladroit ! Un attendrissement, de part et d'autre, est inutile. Quand vous serez parti, je le leur annoncerai moi-même.

— Que leur direz-vous ?

— Des choses simples et vraies : « Mes amis, le Patron a rejoint sa femme, puisqu'elle ne pouvait le rejoindre, lui... N'est-ce pas ainsi que devraient agir tous les bons époux ? Il l'aime ! Vous aussi, il vous aime et c'est pour cela qu'il m'a demandé de le remplacer. N'ai-je pas été l'une de ses élèves ? Je continuerai à appliquer ses méthodes de travail avec toute la force de mon cerveau où s'est concentré ce qui me reste de vitalité... Faites-moi confiance, vous appartenez au plus grand de tous les Cirques ! Kier lui a donné un nom mondial, c'est le plus beau legs qu'il pouvait nous faire. »

— Au revoir, la plus brillante de mes élèves...

— Non, pas la plus brillante ! Adieu !

Il se dirigea, raide, vers la porte et la referma derrière lui sans ajouter une parole.

Isabelle restait immobile, ses yeux bleus obstinément fixés vers le plafond...

— Entrez !

— Vous m'avez fait demander, mademoiselle?

— Oui, Carl. Quelle est la durée prévue pour la tournée en Espagne ?

— Trois mois.

— Et ensuite ?

— L'Afrique du Nord.

— Bon. Vous avez un crayon et un carnet ?

— Ecrivez : « *Note de service*. *A dater du vendredi 1ᵉʳ juillet 1936, la direction générale du Cirque Kier sera assurée par Mlle Isabelle.* » C'est tout. Vous tranmettrez à tous les échelons, mais pas à la presse ! Le matériel est-il démonté en bas ?

— Oui, écoutez les camions qui partent...

— Bien. Revenez ici me chercher demain matin, à 8 heures. Je serai prête, ainsi que mon infirmière. D'ici là, j'ai besoin de réfléchir... Je ne veux voir personne ! Bonsoir, Carl.

Il sortit sans bruit, selon son habitude. Elle porta à nouveau son regard vers le plafond en murmurant :

— Je reste seule...

LE TRAIN DE 23 h 10

Mme Boisrenard était perplexe : elle n'avait jamais vu une chose pareille depuis trente années qu'elle tenait la buvette de la gare de Ruvilly... Cela faisait plus d'une heure qu'un étrange individu vêtu d'un gros pardessus de voyage, le feutre enfoncé sur la tête avec les rebords rabattus sur les yeux, avait pénétré dans sa buvette. Il était allé directement s'asseoir dans un coin et sa seule phrase avait été :

— Un café noir !

Depuis, sans avoir bu le café, il avait regardé obstinément par terre, devant lui.

Mme Boisrenard était d'autant plus étonnée de cette présence inconnue, silencieuse et insolite, qu'elle ne recevait, comme seuls clients, à cette heure tardive, que les employés de la voie. Ruvilly est, en effet, l'une des plus importantes gares de triage de la grande ban-

163

lieue parisienne. Un nombre considérable de trains de marchandises, contournant la capitale, passent jour et nuit à Ruvilly.

L'homme ne bougeait toujours pas et il n'était pas loin de 23 heures — en langage de gare. Les quelques cheminots venus boire « comme ça », en vitesse, un coup de rouge, avaient posé invariablement la même question à la tenancière :

— Qui est-ce, ce type-là ?

— Sais pas.

Tous le regardaient d'un air mi-soupçonneux, mi-interrogateur et repartaient pour leur travail.

Mme Boisrenard, toujours assise derrière son « zinc », reprisait les chaussettes de son époux, aiguilleur-chef de Ruvilly. La digne personne était célèbre sur tout le réseau français : il n'y avait pas un chef de train, pas un conducteur — ayant passé une fois dans sa vie par cette gare de triage — qui ne serait venu rendre une petite visite à Mme Boisrenard.

Cette femme corpulente n'avait jamais quitté « sa » buvette où elle prenait son service de 9 heures du soir au petit jour. Son travail terminé, elle rentrait chez elle faire son ménage. Le plus grand et le seul mystère de la gare de Ruvilly était de savoir quand Mme Boisrenard prenait le temps de dormir. Elle n'avait jamais eu envie de prendre le train de Grande Ceinture pour se rendre à Paris, et, malgré cela, elle connaissait toute la France par les noms et prénoms de ses chefs de gare. Elle pouvait aisément affirmer que le train de grande messagerie 127 était rarement dédoublé, mais que le chef de train n° 235 était cet excellent M. Poivron ; que M. Poivron était né à Arcy-sur-Cure, où il avait acheté une maisonnette, dotée d'un grand jardin potager descendant jusqu'à la rivière, avec la ferme intention de terminer ses jours en pêchant à la ligne ; qu'il avait une fille Marie-Jeanne, mariée avec M. Duvivier, sous-chef de gare à Pithiviers, et que, de cette union heureuse, étaient nés deux beaux garçons...

Tout en reprisant des chaussettes, Mme Boisrenard aurait pu en dire autant sur n'importe quel employé du réseau français. Elle incarnait le Bottin Mondain des chemins de fer.

Sa buvette servait de boîte aux lettres. Les commissions les plus variées se transmettaient chez elle entre deux trains et devant un vin chaud. Aussi Mme Boisrenard, si avertie de tout ce qui intéressait le rail, surveillait-elle du coin de l'œil l'homme assis devant une tasse de café toujours pleine. Celui-ci ne relevait de temps en temps la tête que pour regarder la porte d'entrée ouverte donnant sur le quai. Il apercevait alors les rails brillants qui se perdaient et s'enchevêtraient dans la nuit, les disques lumineux tantôt rouges, tantôt blancs, tantôt jaunes, tantôt verts... C'était toute la féerie nocturne d'une gare de triage avec ses mille petits feux qui clignotaient, ses pétards qui éclataient pour annoncer le prochain passage d'un express, sa sonnerie interminable qui ne s'arrêtait jamais de carillonner pour faire savoir que le train attendu n'était pas encore parti de la gare précédente...

M. Boisrenard pénétra en coup de vent dans la buvette :

— Vite ! Sers-moi un vin chaud !

— Tu as l'air bien pressé ?

— Tu parles ! Je suis obligé de refaire tous mes graphiques de contrôle à cause de ce satané train supplémentaire de 23 h 10. Tu te rends compte : un train quadruplé !

— Pas possible ? Mais il n'en passait jamais à cette heure-là ?

— Ce sont quatre trains spéciaux. Il paraît que c'est tout un cirque ambulant qui contourne Paris avec tout son matériel, juché sur des trucs, ses camions, ses roulottes, ses animaux, tout le bastringue, quoi !

— Ils restent longtemps en gare ?

— Chacun quinze minutes et ils se suivent à trois minutes d'intervalle. Tu peux préparer pas mal de café ; ils descendront sûrement de leurs roulottes pour venir boire un coup, quand ils sauront que la buvette est ouverte.

— J'en ai toujours prêt d'avance, dans le percolateur.

Un employé portant une lanterne à feu vert venait d'entrer :

— Boisrenard, il faudrait peut-être que tu rejoignes ton poste d'aiguillage ? La sonnette vient de s'arrrêter...

— On y va ! dit Boisrenard, d'une voix maussade.

Resté seul, l'homme au feu vert dit simplement :

— Pour moi, un jus bouillant.

— Pardon, monsieur, demanda poliment l'inconnu assis dans le coin, puis-je savoir sur quel quai arrive le premier train de 23 h 10 ?

— Le quai n° 1, celui que vous avez là... Ça vous intéresse donc, ce train de cirque ?

— Oh ! répondit l'homme en souriant, le passage d'un train est toujours une chose curieuse... Et quand il transporte un cirque, l'intérêt se double. Ne trouvez-vous pas ?

— Hum ! Oui... peut-être... grommela l'emloyé pas très convaincu.

Il avala son « jus » d'un trait, fit résonner sa monnaie sur le zinc, et sortit après avoir changé la position de sa lanterne dans sa main : le mécanicien du train de 23 h 10 verrait « feu blanc » au lieu de « feu vert ».

De la buvette, on entendait ses pas sur le quai. Un coup de sifflet très proche coupa le bruit des pas. Un jet de vapeur ponctua le grincement des freins, le choc de l'arrêt se transmit par les tampons, de wagon à wagon :

le premier train de 23 h 10 venait d'entrer en gare.

Dans son coin, l'homme au chapeau de feutre n'avait pas bougé mais ses yeux restaient obstinément fixés, à présent, sur la porte d'entrée.

Il apercevait, sur une plate-forme, une grande roulotte rouge, aux volets fermés. Mme Boisrenard, qui avait quitté sa place habituelle pour aller sur le seuil de la porte, se retourna vers l'inconnu :

— Vous devriez venir voir ça, mon bon monsieur !... Rien que des roulottes — et des belles ! A perte de vue sur les wagons ! Toutes rouges... « Kier » qu'il s'appelle le cirque... Drôle de nom ! Pas français ! Ça doit nous venir d'Allemagne... Mais, pas possible, ils dorment tous là-dedans ?

Un silence de mort régnait le long du train. Personne n'en descendait.

— Ah ! Si ! En voilà tout de même un qui se décide... Il sort d'une roulotte à l'arrière du train... Il vient par ici...

Les yeux de l'inconnu eurent une lueur fugitive et Mme Boisrenard réintégra sa place derrière con comptoir.

Le personnage annoncé, un cache-nez autour du cou et perdu dans un ample manteau de voyage qui laissait voir dans le bas des pantalons rayés de pyjama, pénétra dans la buvette :

— Avez-vous un grog, madame ?

— Oui... de « l'Américain ». Vous êtes grippé ?

168

— Oh ! tout au plus un rhume... Mais qui me gêne pour le travail.

— Vous êtes peut-être « artisse » ?

— Oui.

L'homme se tut, en buvant à petites gorgées.

— Vous avez le temps, continua Mme Boisrenard. Pas la peine de vous brûler ! On change la locomotive ici. Et d'où venez-vous comme ça ?

— De Barcelone.

— Pas possible ! et où allez-vous ?

— A Stockholm.

— Eh bien ! C'est un voyage qui compte ! Vous ne faites que traverser la France ?

— Cette fois-ci, oui. Mais nous la connaissons bien ; nous l'avons déjà parcourue deux fois dans tous les sens.

— Pourquoi mettez-vous ces camions sur le train ? Ils ne peuvent pas rouler sur la route ?

— Ça roule même très bien d'habitude, chère madame ! Seulement, pour traverser d'une seule traite la moitié de l'Espagne, la France, la Belgique et l'Allemagne, autant mettre tout sur plates-formes.

Un deuxième coup de sifflet fut suivi d'un nouveau jet de vapeur et de nouveaux grincements de freins : le deuxième train « Kier » était en gare, à côté du premier. Mais ce train-là était loin d'être silencieux : les roulottes

d'habitation y étaient remplacées par des roulottes-cages.

— Quel tintamarre là-dedans ! déclara
Mme Boisrenard.

— C'est le train des fauves et de la ménagerie. Le nôtre est celui des artistes et du personnel. Dans le nôtre, on dort ; mais dans l'autre !... Les fauves dorment rarement en chemin de fer.

Les cris perçants des hyènes d'Abyssinie
coupaient les grognements perpétuels des ours
polaires. Par moments, une petite otarie mêlait sa voix gutturale au concert nocturne qui
envahissait la gare : toute l'arche de Noé
était sur la voix ferrée.

— Ces pauvres bêtes ! dit Mme Boisrenard
en s'attendrissant ! C'est pas malheureux de
leur offrir des voyages pareils ! Vous croyez
qu'elles ne seraient pas mieux en liberté ?

— Si elles l'étaient dans votre gare, vous
vous cacheriez sous votre comptoir.

— On ne peut pas les voir ?

— Impossible et « verboten » ! Les roulottes-cages sont hermétiquement fermées la
nuit.

Mme Boisrenard ne se tint pas pour bat-
tue ; elle était bien décidée à ne pas lâcher son
laconique interlocuteur :

— Vous ne me croiriez peut-être pas, mon
bon monsieur, mais je n'ai mis qu'une seule fois

les pieds dans un cirque, il y a plus de vingt ans de cela !

La digne femme poussa un long soupir qui, dans son esprit, devait évoquer toute sa jeunesse et elle continua infatigable :

— « Rancy » qu'il s'appelait, le cirque. C'était beau, mais bien moins important que le vôtre. Je vous jure qu'il ne lui aurait pas fallu quatre trains ! Alors, comme ça, vous êtes « artisse » ? C'est merveilleux ! Vous en faites des grands voyages... et à l'œil. Oh ! je sais... Il y a ici un rentier, M. Gervais, qui a été « artisse » dans un cirque, lui aussi... du fil-de-fer, qu'il m'a dit avoir fait... Parfaitement ! Il a de ces photos ! On le voit en acrobate... Et aussi des cartes postales timbrées de tous les pays où il a passé. Il a bien de la chance d'avoir d'aussi beaux souvenirs !... Et à vous, cela ne vous arrive pas d'avoir quelquefois envie d'être un jour rentier, vous aussi ? De ne plus avoir la bougeotte perpétuelle ? Lui, M. Gervais, a pris les voyages en horreur ! Il en a trop fait, qu'il dit... Il préfère maintenant fabriquer des jouets pour les gosses du pays.

— M. Gervais ne doit pas être un véritable homme de cirque, trancha « l'artisse ». Les vrais ne s'arrêtent jamais !

Agacé, il tourna délibérément le dos au comptoir pour faire cesser cette conversation. Mais il resta cloué sur place : là, dans le coin...

— Patron !

L'homme assis eut beau lui faire « chut » !
de la main, il se précipita à la table :

— Monsieur Kier ! Qu'est-ce que vous faites
à une heure pareille dans cette gare ?

— Parlez plus bas, Billy, je vous en supplie !
Il est inutile que cette brave femme entende
notre conversation ! Mon cher vieux clown,
je suis tout de même heureux que quelqu'un
soit descendu de ce train endormi et que ce
soit vous... Si je suis ici cette nuit, c'est uniquement parce qu'il fallait que je change d'atmosphère : je ne pouvais plus supporter l'existence recluse de Vérac ! Voilà bientôt deux ans
que nous y sommes enfermés !

— Comment va la patronne ?

— C'est gentil à vous de l'appeler ainsi, Billy... Je reconnais là votre bon cœur ! Seulement
Michaëla n'a jamais été « la » patronne, quoi-
que vous pensiez tous. Elle va de mieux
en mieux, d'ailleurs... Ce n'est pas encore la
perfection mentale mais enfin, la perfection
est-elle de ce monde ?

— Vous l'avez laissée seule, là-bas ?

— Pour quarante-huit heures : ce sont mes
premières vacances depuis des années ! Rassurez-vous : elle n'est pas abandonnée ! Elle a
auprès d'elle Fraülein Greta, Carl et son médecin particulier. Billy... Il fallait absolument que
je revoie mon cirque, ne serait-ce que pendant
quelques minutes ! C'est atroce d'avoir monté
de toutes pièces une organisation pareille et

172

de la voir passer si vite devant ses yeux sur une quelconque voie de chemin de fer ! Dire que toute « ma » maison est là, contre ce quai !

— Pas toute, patron !... Voilà la suite !

Un troisième train venait d'entrer en gare, six minutes après le premier.

— Le train des écuries, continua Billy. Vos étalons y sont, patron ! Tous vos poneys ! Votre pur-sang de haute école... Voulez-vous que nous allions jeter un coup d'œil ?

— Oh ! non !... Nous n'aurions pas le temps et surtout... Je ne veux pas que l'on me reconnaisse. Dites-vous bien que, si vous ne m'aviez pas aperçu le premier, je serais resté dans mon coin et que je vous aurais laissé repartir sans dévoiler ma présence.

— Ce n'aurait pas été chic !

— Peut-être... Mais si j'ai entrepris cet immense voyage pour aboutir ici, à 11 heures du soir, dans cette gare de triage, c'est uniquement pour revoir mon nom peint en grandes lettres sur les roulottes. Toute ma vie est là, Billy... Et si des gens de mon cirque ne comprenaient pas mon geste, ils ne mériteraient pas d'y rester ! J'avais un besoin impérieux de réentendre les cris de mes fauves, les hennissements de mes chevaux et de vous imaginer tous en train de dormir dans vos roulottes... Mais pour rien au monde, je n'aurais voulu troubler cette nuit complète de repos, si rare dans votre existence ! Et, au fur et à mesure que les roulottes auraient passé devant moi, sur leurs wagons plates-formes, je me serais représenté l'intérieur de chacune d'elles... La vôtre, Billy ! Je sais très bien, par exemple, où vous pendez votre blouson de travail quand vous vous couchez... où est installée votre petite bibliothèque et quels livres elle contient... Vous m'avez si souvent offert de lire ces *Trois Mousquetaires* ! Et cela faisait mon admiration que vous les ayez lus en entier, car je me sentais incapable d'en lire la première ligne ! Je sais où est placée la photographie de votre vieille mère, Billy — votre mère qui vous attend dans une petite maison que vous lui avez achetée près de Lausanne et à qui vous écrivez deux fois par semaine comme si vous étiez encore un tout petit garçon ! — et ce que je vous dis, ce que je connais de vous, je le sais de chacun des artistes ou des moindres employés de mon cirque ! Parce que, enfin, il est toujours à moi, « mon » cirque, malgré tout, malgré la séparation, n'est-ce pas, Billy ?

— Oui, patron. Cet établissement est votre création : il portera toujours l'empreinte des quatre lettres immenses qui recouvrent chaque roulotte, chaque affiche, chaque programme, le moindre harnais, n'importe quelle couverture de cheval, tous les uniformes, les toiles de tente, tout ! KIER ! Un nom prestigieux, qui sent l'organisation colossale et le succès ininterrompu depuis des années... Un nom qui continuera à parcourir le monde, quoi qu'il arrive !

Billy s'était arrêté de parler comme s'il eût le souffle coupé : il contemplait le patron, « son » patron qu'il voyait mal, parce que le feutre restait volontairement baissé sur les yeux... Il lui sembla quand même que les tempes étaient un peu plus grises, presque blanches.

— Pourquoi me regardez-vous ainsi, Billy ? Je devine : le monocle ? Je ne le porte plus, sauf lorsque je suis en présence de Mme Kier, qui y est habituée : il ne faut changer pour rien au monde ses habitudes ! Mais ce monocle, qui n'est qu'un vulgaire carreau de verre blanc, n'avait sa raison d'être que lorsque j'étais effectivement à la tête de ma maison. Maintenant que je somnole dans une demi-retraite et que je reste dans une pénombre voulue, je n'ai plus besoin de lui, ni de tout le clinquant. Fini le tape-à-l'œil !

— Que de choses nous avons tous cru découvrir derrière ce bout de verre, patron !

— Je sais... C'est pour cela qu'il ne me quittait jamais... Il faisait partie de ce personnage de parade que j'avais composé et « fignolé » pendant des années ! Depuis que la parade est finie pour moi, le personnage s'est évanoui...

Un nouveau sifflement retentit.

— Le quatrième et dernier train, dit Billy,

celui du matériel. Maintenant tout votre cirque est en gare, patron. Venez le voir !

Kier hésita avant de répondre :

— J'irais volontiers si j'étais vraiment sûr qu'ils dorment tous, sauf vous... Parce que j'ai votre parole, Billy ?... Jurez-moi de ne pas dire aux autres que vous m'avez vu... A personne, vous m'entendez ?

— Pas même à Isabelle ?

— Surtout pas à elle !

Billy venait de saisir le bras de Kier et lui montrait la porte : un léger grincement sur le quai précéda le passage d'une voiture d'infirme... Une femme, emmitouflée, s'y trouvait : on la distinguait à peine dans l'obscurité du quai sans lampadaires.

— Chut ! la voilà, patron... C'est Ulysse, le nain, qui pousse la voiture...

— Que fait-elle sur le quai ?

— A chaque halte un peu prolongée, elle se fait descendre grâce à un plan incliné, amovible, qui relie directement l'entrée de sa roulotte au quai. Et elle surveille pour que personne ne s'attarde ou manque le train. Elle écoute les cris des bêtes et, à leurs cris, devine comment elles vont. Elle sait si tel ou tel coup de pied dans la paroi d'un wagon veut dire qu'une jument s'est embarrée... Elle sait tout ! Elle devine tout ! Elle est partout ! Depuis trois jours que nous roulons, il n'y a pas eu un arrêt dans une gare où je n'ai vu sa voiture poussée lentement par Ulysse le long du quai... Et elle n'ouvre la bouche que pour donner un ordre ! Elle conserve toujours les yeux dirigés vers le ciel, comme si elle était perdue dans de lointains souvenirs... C'est votre souffle qui a passé dans cette femme ! Elle est devenue l'âme de votre cirque...

— Je sais... Je reçois régulièrement à Vérac les nouvelles qu'elle vous dicte, Billy.

— Vous ne voulez pas que je l'appelle ?

— Non ! Elle et moi n'avons absolument rien à nous dire d'intéressant en dehors du métier... Je crois que votre train va bientôt repartir puisqu'il est arrivé le premier. Il est grand temps que vous rejoigniez votre roulotte.

— Vous ne m'y accompagnez pas ?

— Non. J'aurais trop envie de monter dedans !... Il est préférable pour moi et pour vous tous que je reste ici. Mais je ne perdrai quand même pas une seconde de votre passage ! Je m'étais renseigné pour savoir si j'avais quelque chance d'apercevoir mon cirque dans une quelconque gare française, pendant votre rapide traversée de ce pays. On m'a répondu que l'on ne pouvait me donner qu'une heure fixe, celle de votre halte à la gare de triage de Ruvilly, le 19 septembre, à 23 h 10... J'ai fait le nécessaire pour être là à temps. J'étais dans cette buvette bien avant l'arrivée du premier train et je ne repartirai que lorsque j'aurai vu le feu arrière du fourgon de queue du dernier train disparaître dans la nuit...

Un coup de sifflet strident coupa le vacarme fait par les changements de locomotive et les hurlements des fauves. Derrière les volets des roulottes du premier train on voyait s'allumer des lampes. Quelques persiennes se rabattirent et des visages, à moitié endormis, apparurent dans l'encadrement des petites fenêtres. Tous les voyageurs demandaient invariablement :

— Où sommes-nous ?

— Ruvilly, répondait bougon l'homme à la lanterne blanche et verte. Vous avez encore le temps de dormir avant d'être en Suède !

Les têtes disparaissaient, les volets se refermaient, les lumières s'éteignaient.

— Patron, je me sauve !

— Au revoir, Billy... Je ne vous souhaite pas bonne chance : je sais qu'elle suit mon cirque, même si elle m'a lâché, moi ! C'est le nom commercial de Kier qui doit lui plaire, à la chance... Elle n'est qu'une affreuse commerçante... Et pas un mot ! On ne me verra pas du train, je vous le garantis ! Je vais rester ici, caché dans ce coin...

Billy paya son grog et sortit en courant. Sur le quai, les reflets de la lanterne verte, balancée par l'employé, éclairaient les vitres de la buvette. Le premier train s'ébranla sans heurts. Kier se leva lentement et s'approcha avec précaution de la porte où Mme Boisrenard se trouvait déjà, regardant passer le lourd convoi. Les roulottes, calées sur les wagons plates-formes, défilaient une à une, de plus en plus rapidement au fur et à mesure que le train prenait de la vitesse. Kier comptait à voix basse. Chaque roulotte portait un numéro :

— 7, 8, 9, 10, 11, 13, 12... Tiens ! Pourquoi ne les ont-ils pas placées dans l'ordre habituel ? se demanda Kier. Pourquoi la n° 13 avant la n° 12 ? Celle des Corona avant celle des Strassburger ? Il savait aussi que la 17 était la roulotte directoriale, la sienne, occupée maintenant par Isabelle... Elle passa devant lui, vite. A travers les volets, la lumière filtrait :

— Elle veille ! pensa Kier.

A la fenêtre d'une seule roulotte : le n° 21, émergeait une tête : celle de Billy, qui faisait un large « au revoir » en emportant avec lui le secret de la rencontre.

Le départ du premier train rendit visible le second, qui stationnait sur la deuxième voie. Les bêtes y menaient grand tapage, stoppé de temps à autre par les jurons des gardiens ou des claquements de fouet. Le deuxième train s'ébranla, puis le troisième. Alors, « le Patron » n'y tint plus... Il agrippa Mme Boisrenard :

— Regardez, regardez bien, sur les trains... Ces roulottes, ces fauves, ces chevaux, ces camions... C'est à moi ! Ce sont « mes » roulottes, « mes » fauves, « mes » chevaux... Je suis Kier ! vous m'entendez ? Le seul... C'est moi qui ai créé tout cela à la force du poignet...

— Mon bon monsieur, vous me faites mal ! répondit la tenancière affolée, en essayant de se dégager.

Il la relâcha :

— Pardonnez-moi, madame ! Mais vous êtes la seule personne vivante qui soit auprès de moi en ce moment... Alors je vous ai prise comme témoin. Il a fallu que cela sorte, que je le crie enfin ! Les « autres » ne peuvent pas m'entendre, dans le vacarme de ces trains qui partent trop vite !... Ne m'en veuillez pas, parce que... promettez-moi de le garder pour vous toute seule ?... Je suis le Père de ce cirque !

Il avait lâché ces derniers mots, la voix haletante. La lanterne de protection du fourgon de queue du quatrième train n'était plus qu'un point blanc tout petit, au loin dans la nuit. L'homme à la lanterne verte avait cessé de balancer son bras. Les disques multicolores tournèrent sur un déclic automatique, dans un bruit de ferraille : on ne voyait plus que des feux rouges. La voie n'était pas encore libre, le cirque Kier l'occupait... Le patron releva le col de son manteau et sortit de la buvette, sans ajouter un mot, après avoir jeté un billet sur le comptoir.

180

— Votre monnaie, monsieur !

Il n'y eut pas de réponse. L'homme à la lanterne rentra dans la salle :

— Tiens ? Il est parti le type qui était assis ?

— Oui. Il m'a laissé mille francs pour un café-crème. C'est un pauvre homme, pas normal ! Complètement fou même !... Savez-vous ce qu'il m'a dit, en voyant défiler tous ces trains ? « Je suis le Père de ce cirque ! »

— Ah ? Elle est bien bonne ! Cela ne nous empêchera quand même pas de nous enfiler un petit rhum à sa santé ! Qu'est-ce que vous en pensez ?

Mme Boisrenard versa deux bonnes rasades dans des grands verres, des verres à « gros rouge ». Après avoir avalé le sien d'un trait, elle fit claquer sa langue avant de déclarer :

— C'est drôle ! L'autre nuit, à la radio, j'ai entendu, pendant que je rinçais mes verres, une femme qui chantait... Et le refrain de la chanson disait : « *Il y a des gens bizarres dans les trains et dans les gares !* » Moi, je trouve qu'elle n'a pas tout à fait tort ce soir, la chanson...

LE CHATEAU DE LA FOLLE

Dernet changea trois fois de train pour descendre finalement, à la petite station de Saint-Marcellin, la plus ignorée de toutes les gares du Lot. Le peintre, qui avait quitté Paris la veille au soir dans un confortable compartiment, terminait son voyage dans un incroyable tortillard. Tout le long du parcours il avait lu et médité ce télégramme laconique : « *Enchantés de vous revoir. Vous attendons samedi. Kier.* » Le tout était daté du 13 février 1938.

— Déjà deux années qu'il s'est enfermé avec la folle !

Dernet éprouvait une certaine appréhension à l'idée de voir le grand Kier embourgeoisé.

Sur le quai humide, le peintre était empêtré d'une valise, d'un chevalet démontable et d'une boîte à couleurs : un bon ouvrier ne s'embarque jamais sans ses instruments de travail.

Le ciel était maussade : c'était un temps de février, sinistre... Un temps à ne pas voyager, mais Dernet n'avait pu résister à la curiosité de savoir ce qu'était devenu Kier dans sa retraite, emmuré volontairement par amour.

Le peintre fut d'ailleurs le seul voyageur à descendre dans la petite gare perdue. Il n'y avait pas la moindre auto dans la cour mais un cheval et une carriole, avec un paysan transi sous la bâche :

— Hé l'ami ! cria Dernet... Vous allez loin ?

— A Roffignac.

— Connaissez-vous le château de Vérac ?

— Le château de la Folle ? Oui. L'allée de l'entrée donne sur la route de Roffignac.

Le paysan fit claquer son fouet et la carriole s'ébranla.

— Hé ! Hé ! cria Dernet, en courant après la voiture. Cela vous dérangerait-il beaucoup de m'y déposer ?

La voiture s'arrêta. La tête de l'homme se pencha, méfiante. Le paysan jetait un drôle de regard au peintre interloqué :

— Ce n'est point que ça me dérange, mais je n'aime pas ça ! D'ailleurs, il n'y a pas un seul gars dans le pays qui accepterait de vous y conduire !

— Alors, il va falloir que je fasse la route à pied ? Quelle distance ?

— Cinq bons kilomètres.

— Sous cette pluie, avec mes bagages et sans parapluie à cette heure...

— Il fera nuit bientôt.

— Je crois que je ferais mieux de coucher dans la gare et d'attendre le soleil demain matin ?

— S'il se lève !

— Rassurez-vous, brave homme, ce n'est pas la pluie qui empêchera le soleil de se lever et moi d'arriver au terme de mon voyage !

— Je veux bien vous déposer devant l'allée du château, mais à une condition : vous ne sonnerez à la grille que lorsque ma voiture ne sera plus en vue.

— Quelle idée saugrenue !

— Pas tant que cela ! C'est une grille maudite... Vous ne le savez peut-être pas, mais il se passe de drôles de choses dans le château. Des choses pas très catholiques ! Vous connaissez les propriétaires ?

— Oui.

— Pourtant, je ne vous ai jamais vu dans la région ?

— C'est la première fois que j'y viens.

— Vous êtes invité au château ?

— Mais oui...

— Ah !

— Dites-moi, mon ami, vous avez l'intention de me faire subir tout un interrogatoire ? Vous n'avez pas l'air de vous douter que je suis sous la pluie et vous bien abrité par votre capote ?

Désirez-vous savoir mon âge ? Cinquante-deux ans. Mes prénoms ? Jacques, Marie, Pierre... Et ce que je transporte dans cette boîte ?

— Pas la peine ! Vous pouvez monter si nous sommes d'accord pour la condition.

— Nous le sommes...

Des giboulées glacées cinglaient la carriole par rafales. Dernet aurait bien voulu contempler ce pays nouveau pour lui mais la pluie bouchait tous les horizons. Il ne lui restait plus qu'à essayer de faire plus ample connaissance avec le paysan maussade. Seulement, pour y parvenir, il fallait se montrer habile en engageant la conversation sur un sujet banal, capable de l'intéresser.

— Vous avez une bonne jument, commença le peintre.

— Mélanie n'est plus toute jeune ! Je l'ai achetée, voici une dizaine d'années, à un cirque ambulant qui stationnait sur la grande place de Cahors.

— Pas possible ?

— C'est comme je vous le dis ! Mélanie n'était pas apte, qu'ils disaient les romanichels, à la « voltige »... Alors je l'ai flanquée dans les brancards.

— J'avais remarqué en effet que son trot était toujours égal : un vrai trot de voltige... Et quelle croupe ! Prête à recevoir n'importe quelle écuyère à panneaux !

Le paysan le regarda, ahuri. Il ne comprenait pas. Les panneaux ne lui disaient rien.

— Quelle décrépitude, pensa Dernet, pour cette brave Mélanie ! Avoir été jument de cirque et tirer, cahin-caha, une carriole sous la pluie, le long d'une route fastidieuse... Elle a encore une certaine chance de ne pas être devenue jument de fiacre !

Cahin-caha, la carriole avançait pendant que les gouttes tambourinaient la bâche. Dernet sentait que le paysan ruminait quelque chose, quelque chose qu'il ne se décidait pas à dire...

— A quoi pensez-vous, l'ami ?

— Bien... Les gens du château, c'est-y pas aussi des gens de cirque ?

— En effet.

— C'est ce qu'on m'avait dit dans le pays. Vous êtes sûr de les connaître !

— Sûr ! Pourquoi cette question ?

— Ils sont bizarres... On ne les voit jamais ! C'est pas normal. Savez-vous qu'ils ont fait des travaux énormes là-dedans ?

— Vraiment ?

— Faut vous dire que tout tombait en ruine. Le vieux marquis de Vérac est mort sans le sou. Le château était hypothéqué jusqu'aux corniches ! Personne n'en voulait ! Et puis, un beau jour, deux hommes se sont présentés chez le notaire de Roffignac : l'un d'eux était le propriétaire actuel.

— Vous le connaissez ?

— Personne ne l'a vu dans le pays ! Il ne sort jamais ! Un drôle d'homme, qui vit avec sa femme. On dit qu'elle n'est pas normale... Ils ont fait surélever les murs du parc de plus d'un mètre avant de s'installer. Même que, un soir, le gars Mathieu a voulu escalader le mur avec une échelle pour voir ce qui se passait de l'autre côté. Mais il n'a pas osé descendre vu qu'il y avait des chiens énormes, aussi gros que des veaux, qui aboyaient dans le parc et qui l'auraient dévoré.

— Est-ce qu'on y donne quelques réceptions ?

— On ne voit personne entrer ou sortir à part l'intendant, un drôle de bonhomme, qui passe une fois par semaine, dans une camionnette grise et va aux provisions à Cahors. Il ne parle à personne... Mais qu'est-ce qu'ils font comme boucan certains soirs là-dedans !

— Du boucan ?

— Oui ! On dirait qu'ils donnent de grandes fêtes ! Toutes les fenêtres du château sont illuminées ; cela se passe généralement le vendredi. Il paraît que hier soir, on y entendait de la musique, qui ressemblait à de la musique militaire. Vous savez, celle que l'on joue sous le kiosque de la Promenade, le dimanche après-midi, à Cahors.

— Ils ont un orchestre ?

— Faut le croire ! En tout cas, il y a du monde là-dedans et les gardiens portent de ces costumes ! Tout rouges, avec des perruques blanches, des culottes rouges et des bas blancs. Ils ressemblent au suisse de la cathédrale de Cahors...

La pluie avait cessé subitement.

— Une éclaircie ! continua le paysan. Vous avez de la veine ! Juste quand nous sommes devant l'entrée ! C'est là, cette grande allée, bordée de tilleuls... Vous apercevrez la grille au fond... Profitez de ce qu'il ne pleut pas : cela ne durera pas !

— Merci ! Je descends. Et vous irez boire un coup à ma santé.

— Oh ! pas question ; ça me porterait malheur ! Au revoir, monsieur et bonne chance ! Dieu vous garde !

Dernet serra la main du paysan et attendit, selon la promesse faite, que la voiture ait disparu au premier tournant pour s'engager dans l'allée. La grille était recouverte d'une plaque blindée qui interdisait le moindre coup d'œil à l'intérieur du parc.

Ce ne fut pas sans une certaine appréhension que le peintre tira la chaîne rouillée de la cloche pendue sur la gauche du portail... Le tintement rompit le silence pesant. Aussitôt des aboiements furieux répondirent. Un judas, pratiqué dans la grille, s'entrouvrit. Une tête étrange s'encadra, silencieusement.

— Je suis M. Dernet...

La porte s'entrebâilla, juste ce qu'il fallait pour lui laisser le passage avec ses colis.

— Bonjour, monsieur Dernet...

Le gardien portait perruque poudrée, souliers bas vernis à boucles, les mollets en coton du suisse de la cathédrale et un costume de laquais du Grand Siècle. Après avoir refermé et verrouillé soigneusement la grille, il ajouta :

— Je vous reconnais bien, monsieur Dernet ! J'étais l'un des quatre qui montèrent le portrait de Mlle Isabelle dans le salon de Paris, le jour où Son Altesse...

— Ah ! parfaitement. J'ai bien cru que je n'atteindrais jamais votre coin perdu !

— Le patron pensait que vous arriveriez par le train de ce matin. Il vous a envoyé sa voiture à la gare, avec Carl.

— Carl aussi ? Vous êtes donc tous ici ?

— Oh ! Uniquement les plus fidèles et les plus vieux du cirque.

— Prenez les bagages de M. Dernet.

Un deuxième laquais poudré empoigna la valise.

— Ah non ! pas ma boîte de couleurs, c'est sacré ! Je ne m'en sépare pas plus qu'un écrivain de sa plume préférée ou un chasseur de son fusil. Le château est loin d'ici ?

— A cinq cents mètres, environ.

— En route, je vous suis...

Sur les traces du deuxième laquais, Dernet s'enfonça sous les grands arbres d'un parc admirable. L'allée ne semblait pas trop dénudée, parce qu'elle était encadrée de sapins, éternellement jeunes et verts. Le château apparut enfin, affreusement triste.

... Une demeure Renaissance immense à laquelle un propriétaire sans goût avait ajouté deux monstrueuses tours Viollet-le-Duc, qui la flanquaient lourdement et semblaient écraser la façade. Une vaste bâtisse recouverte de lierre, évoquant un peu l'Ecosse et certainement pas la France, mais qui aurait surtout pu être construite pour être habitée par des gens d'Europe Centrale... Un château mastoc qui cadrait admirablement avec un Kier.

Carl était sur le perron :

— Bonsoir, monsieur Dernet, j'espère que votre voyage n'a pas été trop fatigant ? Si nous ne vous avons pas envoyé une seconde fois l'auto ce soir à la gare, c'est surtout pour ne pas attirer l'attention. Nous évitons de troubler l'harmonie paisible et cancanière de ce pays ! Dès qu'une voiture franchit la grille du parc, c'est un événement pour la population ! On nous surveille beaucoup et on ne nous aime pas du tout dans la région !

— J'espère que Kier a le bon esprit de ne pas trop s'occuper des autres ? On jalouse toujours ceux qui peuvent se passer de tout le monde. C'est humain !

— On nous traite d'étrangers...

— La belle insulte !

— On chuchote même que nous sommes des espions...

— J'aurais bien été étonné si cette calomnie imbécile n'était pas venue clore la liste. Tout cela offre bien peu d'importance, Carl ! Le patron est dans son bureau ?

L'ameublement intérieur rappelait étrangement celui de l'appartement de Paris.

« Décidément, pensa le peintre, cet excellent Kier n'aura de goût que sur une piste ! »

A l'entrée de Dernet, Hermann Kier se leva derrière son immense table de travail, jonchée de programmes et d'affiches. Un Kier vieilli, dont le crâne n'était plus poli à la pierre ponce. Un Kier qui avait laissé repousser ses cheveux, des cheveux tout blancs... Un Kier déjà un peu voûté. Un Kier qui ne se tenait plus raide, cassant, magnifique, cuirassé derrière son monocle, mais qui paraissait accablé par le plus lourd de tous les drames cachés... Un homme menant, depuis deux longues années, une existence surhumaine qui l'épuisait, l'usait peu à peu parce qu'elle n'était pas celle pour laquelle il était né... Un homme enfin qui avait lâché trop tôt « le métier » que l'on ne quitte qu'au dernier souffle, en plein travail et entouré de tous les camarades...

Cela, Dernet l'avait compris tout de suite.

— Merci, mon vieil ami, d'être venu nous voir ! Michaëla va être ravie !

— Mais...

— Je sais ! Elle ne vous reconnaîtra pas... Seulement je lui ai souvent parlé de vous. Je lui ai seriné votre nom et répété pendant des heures, depuis trois jours, que vous étiez un artiste de grand talent, venu pour faire son portrait. C'est une idée qui lui sourit assez...

— Comment va-t-elle ?

— Vous verrez... Carl, prévenez Son Altesse que M. Dernet vient d'arriver.

Carl sortit en silence.

— Dernet, je vous ai fait réserver la chambre la plus claire... Elles sont presque toutes sombres dans ce château ! Vous pourrez y peindre en profitant des derniers rayons de la lumière du jour si précieuse en février où elle est trop rare ! De votre fenêtre, la vue sur la campagne est admirable, quand il fait beau...

Fraülein Greta venait d'apparaître, toujours boudinée dans son éternelle robe noire, à la taille de guêpe. Et elle desserra les dents pour dire du bout les lèvres :

— Son Altesse descend...

Dernet eut un frisson. La seule vue de Fraülein Greta lui glaça le cœur : « Est-ce que cela va recommencer ? se demanda-t-il avec inquiétude. Vais-je assister à nouveau à l'étrange cérémonial, avec les répliques insensées de la folles, les candélabres et les crises hystériques ? »

Tous les accessoires y étaient, ainsi que les personnages figés qui s'apprêtaient à jouer leur comédie, sur ordre, pour le patron. Deux laquais muets, aux figures impassibles, soulevèrent une lourde tapisserie. Et Carl parut avec sa canne de cérémonie. Il frappa le sol en annonçant avec la même voix grave :

— Son Altesse Royale !

Dernet se sentait de plus en plus seul. Il aurait voulu crier :

— A moi ! Au secours, Billy le clown ! Billy, mon ami normal ! Pincez-moi comme à Paris pour me prouver que je ne suis pas fou moi-même !

Mais Billy était loin, parcourant le monde.

— Bonsoir !

Michaëla avait lancé ce mot avec beaucoup de simplicité, dans un sourire, en entrant. Elle tendit, sans la moindre hésitation et avec une grâce adorable, sa main au peintre. Celui-ci la baisa sans rien dire, respectueusement, cloué sur place.

— Très chère, dit Kier avec douceur, je vous avais annoncé la venue de notre ami Dernet...

— Vous avez bien fait de venir, monsieur Dernet. Je suis ravie de faire enfin votre connaissance.

Dernet était stupéfait. Il avait peine à croire qu'il se trouvait en présence de la même femme, la folle du cirque, la démente du souper... Michaëla l'avait tout de suite appelé par son nom. Elle était vêtue avec élégance, sans recherches enfantines, et semblait avoir oublié ses oripeaux au magasin d'habillement. Surtout elle n'avait plus du tout la figure ravagée :

ses traits avaient retrouvé toute leur sérénité, celle qui apporte la vraie beauté... Une beauté éclatante. On sentait la femme épanouie... « Le miracle se serait-il produit ? » se demanda le peintre. Les yeux n'étaient plus fous, mais rêveurs.

— Quel affreux temps vous nous apportez, monsieur Dernet ! poursuivit Michaëla. J'espère que vous resterez le plus longtemps possible au palais ? Nous avons un grand dîner vendredi prochain et je compte sur vous...

— Oui, trancha Kier, Son Altesse ne reçoit plus qu'une fois par semaine, le vendredi... C'est son jour ! Le reste du temps Son Altesse se repose... Il n'est pas loin de 7 heures, très chère. Nous ferez-vous l'honneur de dîner avec nous ?

— Non. Excusez-moi, monsieur Dernet. Il ne faut pas m'en vouloir, mais je dîne toujours dans mon lit, sauf le vendredi ! Ma dame de compagnie me fait la lecture... Bonsoir !

Elle était déjà sur le seuil de ses appartements quand elle se retourna souriante :

— J'espère que le prince sera bavard avec un vieil ami tel que vous ! Avec moi il ne l'est guère !

La lourde tapisserie retomba sur les pas de Son Altesse et de Fraülein Greta, silencieuse. Kier et Dernet restaient seuls avec Carl :

— Carl, fais un grand feu de bois dans cette cheminée. Je veux qu'il dure ! Nous avons l'intention de veiller ce soir, Dernet et moi !... Il doit avoir tant de choses à me raconter !

Le peintre ne disait toujours rien.

Le dîner des deux hommes, face à face dans l'immense salle à manger fut pénible : Kier évitait tout sujet de conversation directe et Dernet restait songeur...

— Et Paris ? demanda brusquement Kier. Donnez-moi des nouvelles de votre capitale ?

— Les cirques y marchent bien...

— Je ne vous parle pas des cirques, mais de Paris, de la ville merveilleuse avec ses femmes élégantes, ses vitrines illuminées, ses trottoirs qui reluisent sous la pluie, ses cafés bruyants, ses Champs-Elysées, sa place du Carrousel...

— Mon Dieu, tout cela est à sa place ! Les femmes sont toujours aussi jolies, les vitrines un peu plus éclairées, les trottoirs plus brillants parce qu'il y pleut davantage qu'autrefois et les reflets des becs de gaz moins chauds parce que leur lumière est plus crue, électrique ! Les cafés y sont submergés d'airs à succès que déversent d'affreux pick-up, les trottoirs des Champs-Elysées sont devenus de vrais garages pour automobiles et les jardins du Carrousel toujours admirables sous un clair de lune d'hiver !

— Puisque nous avons fini de dîner, cher ami, nous devrions aller dans mon cabinet de travail...

Dehors la pluie continuait à tomber et à marteler les vitres par bourrasques, mais l'atmosphère de la pièce était tiède. Le feu de bois donnait la seule lumière qui éclairait en arc de cercle les abords de la haute cheminée. Au fond de la pièce on devinait, plus qu'on ne la voyait, la lourde tapisserie et, de temps en temps, une lueur plus vive du foyer plaquait un rayon de lumière rougeâtre sur la bordure inférieure : les petits personnages, brodés dans la trame, semblaient alors s'animer, mais cela ne durait qu'un instant pendant lequel le feu crépitait plus fort...

Enfoncés dans les deux grands fauteuils qui se faisaient vis-à-vis, Kier et Dernet fumaient, l'un son cigare habituel et l'autre sa vieille pipe d'atelier. Sur un guéridon, Kier avait posé un verre de whisky et le peintre une fine confortable. Les deux visages apparaissaient de brique sous le chatoiement des flammes. L'ombre occupait le reste de la pièce... Après un long moment de méditation, Dernet sortit enfin de sa torpeur :

— Je connais beaucoup de Parisiens qui abandonneraient volontiers tous les radiateurs pour un bon feu comme celui-ci, loin du monde, dans cette campagne perdue !

— Mon bon ami, vous pouvez me dire maintenant en toute franchise comment vous la trouvez ?

— Mme Kier ? Etonnamment bien ! J'en suis

enchanté. Je peux vous avouer que je craignais en arrivant ici que sa folie n'ait été en empirant. Mais c'est tout le contraire qui s'est produit ! Je ne lui ai pas trouvé la moindre exaltation... Elle m'a même paru extraordinairement calme. Que s'est-il passé ?

— Rien ! C'est pour cela qu'elle est mieux...

— Je ne comprends pas ?

— Nous vivons dans ce demi-tombeau depuis plus de deux années... Pour elle, c'est excellent ! Pour moi, c'est plus dur mais il le fallait, n'est-ce pas ? Le résultat est déjà très appréciable.

— Et le fameux souper quotidien ?

— Il n'est plus qu'hebdomadaire. Peu à peu, j'ai réussi à habituer Michaëla à l'idée d'un seul souper, celui du vendredi... Elle y pense pendant toute la semaine... Un jour sur sept, c'est tout de même moins astreignant pour nous !

— Qui avez-vous à ces repas du vendredi ?

— Des figurants que je paie et qui habitent les communs. Ainsi je les ai sous la main et ils font exactement tout ce que je leur demande... Michaëla ne les voit jamais pendant le reste du temps !

— Comment les avez-vous recrutés ?

— J'ai mis des annonces dans les journaux corporatifs et les agences de placements artistiques : « On demande bons acteurs, hommes et femmes, pour contrats à l'année. » Il s'en est présenté plus de deux cents, tous inconnus ! Des ratés pour la plupart... des rebuts

de toutes les scènes ! J'en ai engagé une dizaine, les plus cabotins, pour qu'ils soient ty-
piques dans des emplois différents chaque vendredi... J'ai choisi principalement ceux qui
avaient interprété au cours de leur carrière
sans gloire tous les rôles possibles et imagina-
bles dans d'obscures tournées de province. Il
me fallait surtout des acteurs de composition
s'adaptant à tout, des transformistes capables
de se métamorphoser et de se faire « des
têtes » différentes à chaque fois pour gagner
leur vie et non par amour du métier.

— Mme Kier ne les reconnaît jamais ?

— Ils se griment d'une façon étonnante !
Voilà encore une sérieuse amélioration dans
l'état de Michaëla ; vous vous rappelez que,
lorsque vous l'avez connue, il n'était pas nécessaire de déguiser les convives du souper. Elle
ne les reconnaissait jamais physiquement, il
suffisait de leur donner une autre personnalité
morale. A Paris, ma femme pouvait souper
vingt fois de suite avec la même personne.

— Oui... mais quand elle finissait par reconnaître cette personne à la vingt et unième !
Souvenez-vous d'Isabelle...

— Isabelle ! Il y a longtemps que vous l'avez
vue ?

— Un an, c'était à son dernier passage à Paris, avec votre cirque.

— Comment l'aviez-vous trouvée, alors ? Personnellement, je n'ai fait que l'entrevoir une

nuit, dans une gare, à son insu... Je reçois d'elle, chaque semaine, un long rapport détaillé sur la marche du cirque. Elle le dicte...

— Lorsque je l'ai revue, j'ai eu nettement l'impression que le cerveau d'Isabelle était de plus en plus affiné, qu'elle était devenue une maîtresse-femme. Par contre, son corps m'a semblé s'être de plus en plus recroquevillé dans son plâtre. Et, ce qui est triste, son visage...

— Son visage ?

— ... qui était resté, malgré la souffrance, assez beau, s'est affreusement ridé sous la douleur morale de se sentir diminuée. C'est même curieux de voir comme une déficience physique avilit l'aspect extérieur et comme la débilité mentale n'empêche pas à la longue une Michaëla de rester divinement belle ! Aujourd'hui, j'ai eu la sensation étrange que sa folie l'avait peut-être embellie ?

— C'est aussi mon avis. Michaëla n'a jamais été plus belle...

— Quand elle est entrée dans cette pièce, elle m'a paru auréolée par un rêve intensément vécu ! Ses yeux étaient très doux, comme perdus dans les nuages... Ceux d'Isabelle, au contraire, sont devenus trop lucides pour avoir conservé le moindre charme !

— Lorsque mon cirque a séjourné à Paris, il vous a toujours semblé aussi bien tenu ?

— Toujours ! Le spectacle était d'une qualité rare, moderne, présenté avec goût et sur un

200

rythme accéléré... Isabelle mène très bien l'affaire. Le plus étrange, dans une pareille présentation, est de voir cette paralytique voiturée dans les moindres recoins du cirque ! A chaque représentation, elle se fait rouler à la barrière. Sa voiture d'infirme est généralement poussée par Billy, ou par le nain... Mais dites-moi, Kier, vos figurants du vendredi mis à part, vous passez toutes vos soirées ici, seul, puisque votre femme se couche si tôt ?

— Je passe mes soirées dans ce fauteuil en regardant le feu.

Dernet, qui avait un bloc sur les genoux depuis le début de l'entretien, crayonnait une esquisse de Kier dans son fauteuil... Un Kier sans habit et sans costume de parade...

— Peut-être lisez-vous ?

— Je ne lis jamais ! répondit l'homme de cirque.

— Vous devez vous ennuyer à mourir ?

— Non ! Je pense...

— A quoi ?

— A ce que j'aurais fait de mon cirque si Michaëla n'était pas tombée un soir à Bruxelles...

— Il n'y aurait jamais eu d'Isabelle !

— Pas de paralytique !

— Pauvre fille ! Elle vous adore...

— Je le sais, mais cela m'est égal !

— Pourquoi n'écririez-vous pas vos souvenirs ? Trente années de cirque !

— Je ne sais pas écrire, Dernet... tout juste signer !

— Ce n'est pas possible ?

— C'est vrai ! Je vous le confie à vous qui êtes probablement mon meilleur ami... Pendant longtemps, je me suis contenté d'une croix en guise de signature, cela ne m'a pas empêché de réussir ! Je n'ai appris à lire que lorsque j'ai rencontré Michaëla. Je l'ai fait en cachette... Elle ne l'a jamais su ! Je ne voulais pas qu'elle s'en doutât parce qu'elle était trop fine. Elle aurait été affreusement déçue ! C'est Carl qui m'a donné des leçons.

— Quel âge avez-vous ?

— Cinquante-huit ans.

— Et Michaëla trente et un ?

— Oui.

— Je comprends mieux ainsi que vous l'adoriez. Quand il y a une telle différence d'âge, l'amour de l'homme peut être immense ; ne se double-t-il pas d'une tendresse infinie ?

— J'ai toujours considéré Michaëla un peu comme ma fille. C'est ce qui m'a permis de tenir... Oh ! je sais très bien qu'elle ne m'a jamais réellement aimé... Mon seul mérite, à ses yeux, fut de l'étonner quand elle avait vingt et un ans !

— C'est déjà beaucoup, pour une jeune femme ! A quel âge avez-vous débuté au cirque ?

— J'ai toujours appartenu au cirque : mon père possédait une ménagerie, bien modeste, qu'il avait hérité de mon grand-père. Il la promenait tant bien que mal dans les petites fêtes foraines ou les foires d'Europe centrale. A la mort de mon père, en 1898, j'avais dix-huit ans et il me fallait faire vivre ma mère et mes deux sœurs. J'ai repris la route... Nous avons vivoté pendant des années, jusqu'à la guerre de 1914. Celle-ci finie, j'ai acheté à crédit, en 1918, trois vieilles roulottes que j'ai repeintes moi-même.

— Si je vous avais connu à cette époque, j'aurais volontiers fait le peintre en bâtiment pour décorer vos roulottes !

— Il importait surtout qu'elles fussent voyantes : rouge écarlate ! Teinte que j'ai d'ailleurs conservée pour mes cent cinquante trains automobiles actuels. Le public aime le rouge...

— Et comment êtes-vous arrivé de trois à cent cinquante roulottes ?

— Parmi les trois, je possédais une roulotte-cage qui contenait deux vieux lions poussifs et une panthère noire : mon capital de départ et le début de ma gloire. Ces trois bêtes m'ont suffi pour réaliser mon immense rêve...

— Le Cirque Géant ?

— Oui. Un jour où j'avais planté ma tente ridicule dans une petite ville hollandaise, Tilburg, je sentis — les recettes n'étaient pas fameuses — qu'il me fallait de la publicité pour attirer le public. C'est là où j'ai découvert le pouvoir incroyable des affiches...

— Vous en aviez ?

— Non ! Et je n'avais pas un centime pour payer leur impression ! Ce qui ne m'empêcha pas d'aller trouver un imprimeur qui eut pitié de moi : il m'offrit contre deux places gratuites pour lui et pour sa femme à la représentation du soir un stock de vieilles affiches, qui étaient restées sur les bras de son père depuis une vingtaine d'années...

— Des affiches de cirque ?

— Et quel cirque !... Buffalo Bill ! Un nom prestigieux ! Ces affiches dataient de l'époque où le grand cirque américain avait fait sa tournée européenne. Il devait venir en Hollande et avait commandé, un peu partout, des affiches avec un texte hollandais reproduisant exactement des modèles envoyés des Etats-Unis. C'étaient des affiches standard, bonnes pour attirer tous les publics, étonner n'importe quelle ville... Leurs couleurs étaient vives et leurs personnages épiques !

— Vous avez pris le stock ?

— Naturellement ! Il n'y avait guère dans le lot, que trois ou quatre types différents... L'une des affiches représentait un dompteur dans une cage de fauves déchaînés ; une deuxième montrait la tête d'un clown ; une autre, enfin, la meilleure, une chevauchée de cow-boys, avec des Peaux-Rouges... Toutes les affiches étaient de dimensions énormes et chacune d'elles pouvait couvrir un mur entier. C'était là le secret...

— Le tape-à-l'œil ?

— Toujours lui ! Quand ma pauvre mère me vit revenir, tirant une charrette à bras, remplie d'affiches, elle me déclara que tout ce papier peinturluré était inutile. Je lui répondis : « Non, maman ! J'ai une idée formidable : groupons-nous, avec toutes les petites ménageries qui végètent et formons un grand cirque que nous appellerons *Buffalo Bill !* »

— « C'est malhonnête », me dit ma mère.

— « Non, maman ! L'authentique Buffalo, de son vrai nom Billy Cody, est mort depuis longtemps, sans héritier... Son cirque n'existe plus, mais le nom prestigieux reste dans l'esprit des foules. Vous n'avez pas idée du nombre de grands-parents qui, à la seule vue de nos affiches, revivront instantanément dans leur mémoire une soirée magnifique et inoubliable de leur jeunesse ! Ils se reverront assistant, étonnés, aux exploits accomplis par les premières cow-girls importées en Europe par ce malin de Billy Cody ! »

Kier s'animait de plus en plus pendant son récit et Dernet crayonnait de mieux en mieux.

— « ... Ils se précipiteront pour retenir leurs places et pour faire connaître enfin à leurs petits enfants ou à leurs petits-neveux ce cirque dont ils leur ont si souvent parlé et qui les a éblouis. »

« ... Ma mère se taisait, Dernet. Elle commençait à suivre mon idée... J'étais bien décidé à la réaliser ! Et je trouvai l'argument-massue pour faire taire ses scrupules :

— « Le seul vol, maman, serait que nous ne donnions pas au public du vrai cirque. Mais nous sommes tous aussi capables de le faire que les Américains ! Le nom de Buffalo Bill appartient, au fond, au domaine public. Qu'importe que nous soyons, au début, de faux cowboys ou de faux Peaux-Rouges ? Quand nous aurons gagné assez d'argent avec les faux, nous pourrons en faire venir des vrais ! »

— Ce qui acheva de convaincre votre mère ?

— Oui. J'ajoutai que, au cirque comme dans n'importe quel genre de spectacle, c'est l'illusion qui fait tout ! Il importe que le spectateur soit satisfait ; même s'il se rend compte, à la sortie, qu'il a été bluffé, il sourit, du moment que le programme fut bon.

— Et moi qui étais persuadé que vous aviez tout de suite débuté avec un matériel considérable, représentant un investissement énorme de capitaux !

— Vous vous trompiez, comme tout le monde, sur mon compte. Mon premier grand cirque a été formé de bric et de broc avec le concours de tous les camarades qui étaient dans la même misère que moi et qui végétaient lamentablement... J'avais un ami, dresseur allemand, Eric Berg, qui nous a amené ses trois éléphants. Le numéro était plutôt médiocre, seulement trois éléphants, cela meuble un cirque même s'ils ne savent pas faire grand-chose en piste... Leur plus grande utilité est de leur faire parcourir les principales artères de la ville vers midi, pour la parade. L'éléphant est la bête monstrueuse et sympathique, qui a toujours réussi à attirer les foules des jours fastes ! Un autre camarade de métier, français celui-là, nous est venu avec sa cavalerie : une vingtaine de pauvres chevaux décharnés, que nous mettions à toutes les sauces : reprises équestres, voltige, haute école, rodéo final... Certaines de ces malheureuses bêtes tiraient même des roulottes ! Nous n'avions alors que quatre vieux camions automobiles qui restaient régulièrement en panne entre deux étapes... Quant aux Fredini — une véritable dynastie d'acrobates à la batoude italiens — ils se transformaient en cow-boys pendant que la troupe des sauteurs arabes de Ben Sahid se muait en redoutables Peaux-Rouges qui n'avaient même pas le temps de se démaquiller pour démonter le cirque, quand nous déménagions ! Nous avions aussi des ballets indiens à grand renfort de tomahawks ou de totems-toms-toms : c'étaient les ouvreuses et les dames des lavabos qui servaient de ballerines...

— Inouï ! Et le matériel ?

— Assez imposant puisque nous avions groupé toutes nos roulottes : l'union fait la force ! Chacun de nous avait amené deux ou

trois voitures, ce qui nous donnait un total
d'une trentaine. Elles étaient toutes peintes de
la même façon, avec des lettres blanches énormes : « BUFFALO BILL », tranchant sur le rouge.
Et le drapeau étoilé flottait au-dessus du tout,
au sommet de chacun des quatre mâts. J'ai été
le premier à introduire, à cette époque, en Europe, le chapiteau à quatre mâts et les trois
pistes accolées : tout le monde m'a copié depuis.

— Quel avantage voyiez-vous dans ces trois
pistes que vous avez d'ailleurs conservées dans
votre organisation actuelle ? Ne craigniez-vous
pas une dispersion d'attention chez le spectateur ?

— C'est précisément ce que je recherchais
car aucun des numéros d'alors n'était vraiment
bon. De véritables numéros de crève-la-faim !
le public ne s'en apercevait pas trop : aussi ne
remarquait-il pas les détails... Il ressortait du
cirque une impression de « colossal » par le
nombre et non par la qualité ! Et puis, surtout,
je lui présentais une formule nouvelle : il faut
toujours trouver du nouveau dans le métier !

— C'est ce qui en fait la réelle difficulté.

— Le spectacle se terminait régulièrement
par la poursuite américaine des cow-boys avec
l'attaque classique de la diligence, l'héroïne que
les Peaux-Rouges veulent supplicier — après
l'avoir bâillonnée et ligotée devant un feu où
grimpaient des flammes en papier rouge qui

208

étaient agitées par le plus opportun des venti-
lateurs — et la délivrance finale de la malheureuse par Billy Cody lui-même, qui tirait en
l'air de ses deux énormes pistolets à la fois, en
laissant dans le sillage de sa fougueuse monture une épaisse fumée bleue à l'odeur de papier d'Arménie...

— Vous aviez même le toupet de ressusciter
Buffalo Bill ?

— Au début, ce fut moi, mais Berg me fit
judicieusement remarquer que je faisais vraiment jeune pour un homme venu en Europe,
vingt années plus tôt, quand il avait déjà dé-
passé la quarantaine !

— Alors ?

— Comme toujours, j'ai trouvé une astuce...
Nous avions un vieux caissier à barbiche et à
favoris, style Abraham Lincoln. Je l'habillai en
cow-boy, mais en vieux cow-boy retraité, et, par
le truchement du porte-voix, on annonçait en
ville — le matin de l'arrivée — que le vieux
Buffalo Bill lui-même, alias Billy Cody, était
revenu des plateaux de l'Arizona avec son cirque et, ce qui était le comble du raffinement,
qu'il paraissait lui-même en piste à chaque représentation.

— Ça prenait ?

— Ça prend toujours quand le boniment est
adroit ! Le public ne demande qu'à être cré-
dule... Avec un bout de mise en scène par là-
dessus, tout allait bien ! Le vieux caissier appa-

raissait avant la pantomime finale qui s'intitulait modestement « La Perle de la Sierra ». Il faisait son entrée, appuyé sur des béquilles, cassé en deux, et il parlait d'une voix chevrotante après qu'un roulement de tambour avait calmé l'émotion admirative de la foule.

— Et qu'est-ce qu'il racontait ?

— Je me souviens très bien de son invraisemblable boniment. Je l'ai tellement entendu !... *Mes chers amis, je suis heureux d'être enfin revenu parmi vous, dans cette belle ville* — même si nous n'avions à faire qu'à une bourgade, cela flattait les spectateurs — *où j'ai passé voici près d'un quart de siècle ! Aujourd'hui même je fête mes quatre-vingts ans mais je suis toujours solide grâce à l'équitation. C'est tout juste si je ne prends pas part à la pantomime où mon petit-fils, Buffalo Junior, me remplace...* — le petit-fils, Dernet, c'était moi ! et mon pseudo-grand-père continuait : *Presque tous les cowboys de la création de cette pantomime se sont retirés multimillionnaires dans leurs ranches, au Texas. Mais moi, le grand Billy Cody je suis toujours là, fidèle au poste ! Et je compte bien revenir vous voir une autre fois, dans vingt autres années pour fêter avec vous mon centenaire !...* Un tonnerre d'applaudissements accueillait cette péroraison et, sur un nouveau roulement de tambour, Buffalo Bill s'en allait péniblement sur ses béquilles... Inutile de vous dire que, aussitôt la barrière franchie, il accrochait ses béquilles au vestiaire et prenait le pas de gymnastique pour aller faire sa caisse de la soirée !

« D'ailleurs « faire sa caisse » à cette époque consistait pour le caissier à gagner « sa matérielle ». En effet, par prudence, j'avais placé la cassette métallique — où s'entassaient les billets — très au-dessus de la tête du caissier. Il était donc obligé d'allonger le bras pour y déposer les billets remis par les spectateurs. Il avait ainsi beaucoup moins de tentations et de facilité pour puiser la monnaie à rendre. Vous savez aussi bien que moi, mon cher, que l'on hésite toujours à faire le même geste trois mille fois de suite pour lever le bras et rendre la monnaie à trois mille personnes ! C'est en vertu de cette admirable loi du moindre effort que le caissier rendait rarement la menue monnaie... Les spectateurs étaient généralement pressés d'entrer et ceux qui faisaient queue derrière s'impatientaient en disant :

« — Ce qu'il peut être long celui-là ! Le spectacle va commencer sans nous ! »

« Le spectateur vexé, devant le guichet, se jetait sur son ticket d'entrée et cédait la place. Grosse économie pour le cirque ! Nous n'étions pas obligés de rémunérer le caissier qui se payait lui-même sur la monnaie conservée ! Ainsi tous les jours il devait nous verser la totalité de la recette, calculée d'après le nombre et le prix de la totalité des places. Nous n'avions jamais la moindre fluctuation dans la comptabilité ! Un bon caissier, comme le vieux, se faisait dans les trois mille francs de « gratte » par jour... Ce n'était pas du vol, mon bon Dernet, mais tout simplement une excellente leçon donnée aux spectateurs qui avaient la paresse de vérifier leur monnaie ! Il arrivait, parfois, que l'un d'eux s'aperçut du stratagème... Aussitôt le caissier se confondait en excuses et se hâtait de lui rendre la différence... Le spectateur méfiant n'avait plus qu'à mettre cette petite erreur sur le compte de la vieillesse de notre bonhomme : on pardonne tout aux vieillards ! La direction faisait comme dans l'armée : elle ne voulait pas le savoir... Ah ! ce n'était pas donné à tout le monde d'être caissier du faux cirque Buffalo Bill ! Il fallait avant tout avoir le geste prompt et le sourire sur les lèvres... N'étaient-ce pas les temps héroïques ?

— Et la recette ?

— Nous la partagions proportionnellement à ce que chacun avait apporté de matériel, de chevaux, de fauves ou d'oripeaux. Personnellement, j'avais un quart de plus que tous les autres, parce que j'avais eu « l'idée ». Ma mère gardait l'argent dans de gros bas de laine, soigneusement cachés dans sa roulotte. C'était une tradition chez nous à cette époque : l'argent était conservé par le chef de famille et ma mère remplissait admirablement ce rôle ! Je vous jure qu'avec elle nous n'avions pas besoin de banques, ni de carnets de chèques !

« L'argent, disait-elle, est fait pour s'accumuler en tas. Il constitue le capital de ton prochain cirque ! »

Je ne conservais comme argent de poche que le produit de la vente des bonbons : c'était plus que suffisant pour faire le jeune homme !

— Faisiez-vous salle comble dans tous les petits pays où vous passiez ?

— Oui, grâce à la parade.

— La parade ?

— Cette bonne vieille et magnifique institution foraine... Le cirque Kiér ne fait plus de parade, parce qu'il se remplit tout seul aujourd'hui. Mais, à l'époque de notre fameux *Buffalo Bill*, la parade était nécessaire ! Songez que nous n'avions pas alors notre gigantesque organisation d'autocars qui nous permet d'aller « cueillir » les spectateurs chez eux. Ceux-ci devaient se déplacer par leurs propres moyens pour venir jusqu'à nous. Il y a là une grande nuance ! Lorsque nous n'étions plus qu'à quelques kilomètres de la bourgade où nous allions planter la tente, nous déployions toutes « nos forces » sur la route, en longueur. Nous mettions à profit le moindre petit incident de voyage, ou le plus modeste des passages à niveau, pour faire un embouteillage monstre grâce à nos éléphants, qui obstruaient tout ! La

213

nouvelle se propageait dans la campagne environnante :

« — Il y a un immense cirque américain qui arrive au chef-lieu de canton ! On ne peut plus passer sur la route ! Venez le voir ! »

« Les paysans lâchaient leurs travaux des champs pour venir admirer la caravane *Buffalo Bill* qui donnerait le soir même une unique représentation !

« Nos entrées dans les petites cités étaient grandioses. Nos éléphants transportaient les moins authentiques des radjahs, escortés par les plus peintes des bayadères... Ensuite venait un immense char à bancs réservé à la fanfare. Il n'était pas rare d'ailleurs que la chevauchée de nos cow-boys de pacotille fût accompagnée par de vulgaires trompes de chasse ! Nous n'en étions plus à un anachronisme près ! Il s'agissait avant tout de faire du bruit dans le quartier et ça, je vous jure que nous en faisions ! Aux carrefours importants, un palefrenier, mué en bonimenteur, coiffé d'un feutre à larges bords, rugissait dans son porte-voix. J'avais choisi ce garçon pour sa voix de tonnerre. Il s'époumonait, juché sur le toit de la vieille diligence réservée à la poursuite des Indiens, pendant que deux ou trois écuyères en tutus laissaient négligemment voir leurs jambes potelées. Un spectacle d'art, Dernet !... Dans le métier, tous les trucs sont bons et on s'aperçoit vite que les vieux sont encore les meilleurs ! Nos parades de cette belle époque restaient légèrement poussiéreuses, miteuses même, mais qu'est-ce que cela pouvait bien faire ? La science de la parade palliait à tout. Vous souriez, mon bon ami, mais il y en a une, connue aussi bien du plus obscur des camelots qui vend des fixe-chaussettes que du plus grand des directeurs de cirque !

« Dans toute parade intelligente, il doit y avoir une alternance parfaite de cris et de flons-flons. Il faut faire donner successivement la voix, le geste et la grosse caisse ! Depuis tous temps les bateleurs connaissent l'art suprême d'impressionner la foule par l'assemblage habile de choses qui font « image », parce qu'elles ne se trouvent jamais réunies ensemble dans la vie courante : un éléphant et une ballerine, un nain et un cheval pie, un nègre et une femme à barbe... Voilà des images-force qui obligent le passant — jusque-là bien tranquille et vaquant à ses occupations routinières — à sortir de sa torpeur naturelle, de son abêtissement, à ouvrir les yeux, à les écarquiller même pour voir des choses stupéfiantes...

« Vous, le peintre, ne cherchez-vous pas aussi les contrastes, les oppositions de couleurs ? Vous paradez sur vos toiles sans vous en douter ! L'esprit de parade souffle aussi entre les lignes d'un livre... Je ne suis guère compétent dans la partie, mais je suppose que l'écrivain met en valeur ses idées par ce qu'il appelle

« le style » ? Il connaît l'art d'intercaler subitement, dans son récit, un dialogue rapide et inattendu qui surprend ses lecteurs... N'est-ce pas là une sorte de parade de l'esprit ? Parade éternelle, mon vieil ami, que l'on retrouve également à la tribune politique : il n'y a guère que les costumes des bonimenteurs qui changent !

— Combien de temps ce faux cirque *Buffalo Bill* a-t-il tourné ?

— Le moins longtemps possible : deux ans. Le temps qu'il me fallait pour amasser les capitaux nécessaires au lancement du cirque Kier... Car la seule chose qui me chiffonnait dans cette association d'artistes hétéroclites, était que mon nom ait disparu des esplanades... Je voulais le faire reparaître en lettres gigantesques ! D'autant plus que, dans certaines villes, quelques critiques avertis s'émurent ; cela vint de ce que notre brave homme de caissier avait un épouvantable accent tudesque et pas du tout yankee ! La supercherie monstre commençait à être flairée quand nous nous sommes tous séparés avec de bonnes espèces sonnantes dans nos poches. Chacun de nous essaya de monter un cirque à lui, sous son propre nom. De toute cette équipe, je crois bien être le seul à avoir réussi... Quinze mois plus tard, en effet, le cirque géant KIER faisait ses débuts sensationnels à Munich, avec ses cent-vingt chevaux magnifiques, son troupeau de dix-huit éléphants, ses douze tigres royaux, ses seize lions de l'Atlas, ses vingt-quatre ours polaires, sa ménagerie de trois cents bêtes diverses et sa Galerie de Phénomènes, allant de la femme-tronc à l'homme-phoque. Là, c'était l'inverse : tout était parfait, les moindres numéros étaient remarquables. Et c'est pour cela, Dernet, que je ne regrette rien de ce que j'ai imaginé jeune. J'ai réalisé mon rêve ! Combien y a-t-il d'hommes, dans le monde, qui peuvent se vanter d'en avoir fait autant ? Je voulais réussir : j'ai réussi...

— Il me semble que vous oubliez le cas de Michaëla ? Estimez-vous aussi que ce soit une réussite ?

— Rien n'est perdu ! Je progresse quotidiennement avec elle. Il n'est pas dit qu'un jour je n'arriverai pas à la rendre tout à fait normale.

— Vous le méritez : pour votre ténacité et surtout pour l'amour admirable que vous continuez à lui porter...

— Le jour où Michaëla sera rétablie, je reprendrai immédiatement avec elle, qui fut et restera toujours ma seule compagne, nos éternelles pérégrinations...

Une idée extraordinaire venait de traverser le cerveau du peintre :

— Kier, avez-vous confiance en moi ?

— Totale !

— Et en notre amitié ?

— Je la crois indissoluble.

— Alors, écoutez-moi... Je sais que vous ne pourrez jamais vous séparer de Michaëla et je vous approuve... Mais je sens aussi — ne serait-ce que par ces souvenirs rapides, étonnants, que vous vous êtes plu à évoquer ce soir devant un vieil ami du cirque comme moi — que vous ne pouvez pas terminer votre existence ici, dans cette retraite ! Malgré vos cinquante-huit ans, vous restez encore beaucoup trop jeune, trop actif, trop créateur de vie pour vous enterrer volontairement. Vous m'entendez ? Il faut que vous reveniez à la tête de votre cirque !

— Et Michaëla ?

— Justement ! Tentons une expérience ! L'expérience folle, insensée, qui — si elle réussit — fera crier à tous les spécialistes de maladies mentales : « Au miracle ! » Vous savez comme moi que votre cirque « redescend » au printemps prochain, pour une tournée dans le Midi de la France et en Italie ; pourquoi ne ferait-il pas un léger crochet et ne viendrait-il pas, dans cette propriété, donner une représentation ? Une soirée de gala où tous les spectateurs seraient invités et prévenus à l'avance que l'on va tenter une grande expérience, celle qui peut rendre la joie de vivre à une femme encore jeune et belle...

— Je ne vois pas...

— C'est pourtant lumineux ! Un choc terrible a fait perdre à votre femme la raison, pendant qu'elle exécutait son numéro en piste. Pourquoi un nouveau choc, inverse, se produisant dans la même atmosphère, exactement au moment où a eu lieu le premier, ne déchaînerait-il pas la réaction contraire ?

— Ce qui voudrait dire ?

— Qu'avec un rien Michaëla peut retrouver toute sa lucidité ! Je ne suis pas médecin, mais j'en suis sûr !

— Vous voudriez un nouvel accident ?

— Non !... Il suffirait, je pense, que Michaëla fût replongée subitement, sans aucune préparation, dans l'ambiance de son numéro équestre... Ce n'est pas si compliqué ! Nous câblons mon arrivée à Isabelle : en partant d'ici, je rejoins immédiatement votre cirque. Nous connaissons tellement bien le numéro, Isabelle et moi — elle au point de vue technique, moi au point de vue visuel — que nous préparerons presque à coup sûr l'émotion très grande que ressentira votre femme le moment venu. Car il ne s'agit pas de rater l'expérience... ce serait pire que tout ! Il y aura tout juste quelques minutes du numéro à mettre au point pour déchaîner la crise subite qui risquera de lui faire retrouver la raison. Isabelle dirigera, avec l'aide de Billy, l'entraînement du cheval et le dressage, qui devra atteindre un tel degré de perfection automatique que la bête exécutera d'elle-même tous les exercices sur les seuls rythmes de l'orchestre, sans qu'il soit même né-

cessaire que l'amazone fasse le moindre effort...
Ce sera, en somme, un cheval qui marchera tout
seul comme s'il n'avait pas d'amazone sur le
dos. A votre avis, peut-on obtenir un dressage
pareil ?

— Certainement... Mais ce sera navrant ! La
beauté du numéro résidait dans l'entente complète de l'écuyère et de l'animal. Le travail
conjugué des deux devenait un labeur « intelligent » de la piste.

— Abandonnez, pour une fois, votre goût de
la perfection ! Vous vous êtes bien aperçu
qu'elle n'était pas de ce monde : le jour où vous
l'aviez atteinte avec ce numéro, tout s'est effon-
dré ! Pour un soir, vous ne penserez uniquement qu'à votre chère malade...

— Si je saisis bien toute votre pensée, vous
voulez que le cirque fasse dérouler ici sa représentation habituelle, avec identiquement les
mêmes numéros que ceux qui composaient le
programme quand Michaëla a eu son accident ?

— Voilà !

— C'est impossible ! Certains de ces numéros
n'existent plus. Prenez, par exemple, les Corona : Lilian s'est tuée à Helsinki et Alfredo à
Berlin...

— Il y a d'autres trapézistes, que nous habil-
lerons de maillots blancs comme eux et auxquels nous demanderons d'exécuter le même
travail ! Nous les ferons passer juste avant le
numéro de Michaëla pendant que nous la met-

trons en selle dans les écuries. Elle entendra
cette musique du numéro qui la précédait toujours et respirera toute l'odeur du cirque... Cela
l'ébranlera déjà. Et, quand ce sera son tour de
passer, à l'heure H de son entrée en piste, nous
lâcherons son cheval et nous la livrerons aux
projecteurs...

— C'est une expérience insensée, Dernet ! Réfléchissez ! La pauvre Michaëla n'est pas montée sur un cheval depuis des années ! Elle aura
un éblouissement en pénétrant sur la piste !

— Je le sais ! Et il ne faut surtout pas qu'elle
remonte avant la représentation ! Il faut la
commotion cérébrale !

— Si elle tombe ?

— Elle ne tombera pas ! Nous prendrons toutes les précautions en disposant autour de la
banquette, dans les loges, des infirmiers solides
qui seront prêts à la recevoir et à intervenir à
la moindre défaillance.

— Je ne veux pas lui faire courir ce risque !

— Je vous en supplie, Kier ! C'est de votre
bonheur à tous les deux qu'il s'agit ! Si nous
arrivons à lui rendre enfin sa tête, mon bon
ami, vous reprendrez la vie errante, la seule qui
vous convienne... Pensez que vous seriez à nouveau le grand Kier, qui vient tous les soirs à
« sa » barrière !

— Mais Isabelle ?

— Elle serait ravie de vous céder la place !
C'est très dur pour une paralytique d'assumer

uniquement par dévouement une responsabilité aussi lourde !

— Soit.

— Vous acceptez ?

— Je vous donne carte blanche. Moi, j'attends ici le retour de mon cirque avec le printemps.

— Bravo ! Je repars dès demain. Nous n'avons pas un instant à perdre ! Câblez mon arrivée à Isabelle... Où sera le cirque dans quatre jours ?

— A Prague.

— Vous voyez bien que vous suivez votre « Maison » ambulante heure par heure, jour par jour, à travers le monde ! Vous ne pouvez pas vous en passer ! Ce que vous avez créé doit vous revenir...

Les deux hommes s'étaient levés. Leurs silhouettes apparaissaient agrandies en se découpant devant le feu qui commençait à faiblir :

— Inutile de le ranimer ! dit Kier. Ce soir, c'est vous qui m'avez réchauffé le cœur pour la première fois depuis longtemps, mon vieil ami !

Il lui donna une poignée de main solide, vigoureuse, celle de l'homme qui a confiance dans l'amitié d'un autre homme. Dehors, le vent continuait à plaquer la pluie contre les vitres, par rafales, mais aucun d'eux ne s'en souciait. Ce soir, au coin du feu, devant l'âtre du château perdu, une idée venait de germer : l'idée-force qui allait peut-être délivrer tout le monde d'un cauchemar ?

Pendant ce temps, Son Altesse s'était endormie, paisible, après que Fraülein Greta l'eut bordée comme une enfant inconsciente. Son Altesse était très belle dans le sommeil...

— Bonsoir Dernet, dit Kier sur le seuil de sa chambre. Avez-vous tout ce qu'il vous faut ?

— Tout, parce que je suis heureux de vous aider à réveiller notre Belle au Bois dormant de ses rêves un peu fous... Bonsoir. Ah ! J'oubliais : pendant que vous parliez et me racontiez les souvenirs de vos débuts, j'ai terminé mon croquis... Le voici.

Kier regarda attentivement le dessin :

— Oui, ce doit être ressemblant... J'ai donc tant vieilli ?

— Un peu... comme moi, comme nous tous ! Mais patience ! Votre retour au cirque, avec une Michaëla transformée, vous rajeunira de vingt ans !

— Je le crois...

« Le Patron » venait de se redresser pour dire, presque joyeux :

— Quand je serai à nouveau à la tête de mon cirque ; il faudra que vous fassiez mon portrait en pied : quelque chose d'important... Dans mon habit, avec mon monocle et sous mon haut de forme !

HAUTE ÉCOLE

Kier était rentré dans sa chambre, contiguë à celle de sa femme. Longtemps il écouta et attendit que tout bruit eût cessé dans le château endormi avant d'ouvrir doucement la porte de communication... Il pénétra dans la chambre de Michaëla avec d'infinies précautions et alla directement donner un tour de clef à une autre porte, celle de Fraülein Greta. Il revint s'asseoir près du lit où reposait Son Altesse...

Tous les soirs, c'était ainsi. Chaque nuit, le grand Kier venait à pas feutrés, presque en cachette, veiller sa femme. Il ne se sentait réellement seul avec elle que lorsqu'elle dormait... C'était un tête-à-tête étrange pendant lequel il restait des heures à contempler le visage de Michaëla, à peine éclairé par une petite lampe, placée sur une table basse. La démente ne se réveillait jamais : son sommeil était lourd. Parfois, instinctivement, elle tendait la main comme si elle recherchait son protecteur... Kier prenait alors tout doucement la petite main dans ses grosses « pattes », comme il l'avait fait pour la première fois dans les écuries à Milan. Et il serrait à peine... Ses mains n'étaient-elles pas habituées à manier des bouches de pur-sang?

Cette nuit, Kier avait un besoin encore plus fort d'être avec sa compagne, après la conversation qu'il venait d'avoir... L'idée du peintre lui semblait insensée et cependant elle le bouleversait comme toutes les grandes idées.

Son Altesse dormait paisiblement ; ses nuits étaient généralement calmes. Kier était persuadé que les rêves de sa femme endormie n'étaient pas fous comme ceux qu'elle faisait tout éveillée. Michaëla devait être sûrement normale pendant son sommeil et ressemblait alors aux autres femmes. Il aurait fallu qu'elle dormît toujours pour conserver sa sérénité d'esprit. Aussi Kier ne se serait jamais permis d'interrompre ce sommeil réparateur.

Ces heures, passées auprès du lit, auraient paru inutiles à n'importe qui, sauf à lui. Pendant toute la journée, il attendait ce moment où il pourrait converser librement avec son Amour endormi. Et jamais ces duos unilatéraux n'étaient les mêmes... L'imagination de Kier trouvait toujours du nouveau : il confiait à Michaëla aussi tout ce qui lui passait par la tête et qu'elle ne répéterait jamais...

L'amour du colosse pour la créature blonde était à la fois étrange et farouche : elle avait été si peu sa femme ! Il n'avait pu la prendre que pendant le temps trop court où elle était restée normale. Depuis, Son Altesse s'était refusée obstinément à tous rapports avec son époux. Elle semblait même avoir une sorte de répugnance physique pour ses caresses. Et Kier n'avait pas bronché : il avait admis cela depuis des années, préférant tout plutôt que perdre Michaëla. Aussi, cette nuit-là, lui confia-t-il dans le silence du sommeil :

« Je sais, Michaëla, que tu ne veux plus être physiquement à personne. Et cependant tu es belle, de plus en plus désirable ! Je crois que tu veux être avant tout au cirque et comme le cirque est à moi, tu es donc un peu ma chose malgré tout. C'est le cirque seul qui t'a volée à moi ! Aussi allons-nous tenter la grande expérience du peintre pour te rendre définitivement à ce cirque, pour lequel tu as dû être créée. Si tu as quitté ton père, ta vie, ton milieu social, ce n'est pas, comme beaucoup l'ont pensé, sur un coup de tête irréfléchi, mais simplement parce que c'était ta destinée... Il fallait que, un jour ou l'autre, tu fusses happée par l'énorme machine que j'avais inventée : tu devais apporter la beauté sur une piste ! Et tu t'es laissé entraîner, comme prise de vertige...

« Le jour où ton accident est arrivé, tu n'as pas cessé de remplir ta mission puisque tu as continué à m'inspirer... je ne pouvais plus me passer de toi ; tu incarnes ce que j'ai connu de plus noble au cirque et de plus beau dans ma vie. Je te dis ces choses tout bas pour que les autres n'entendent pas notre conversation : ils ne la comprendraient pas ! Tu as dû remarquer que je ne te dis jamais « mon Amour », comme le répètent sans réfléchir les autres hommes. Ici, je prononce le plus tendrement possible ton prénom : Michaëla... Il n'y a que dans la journée où je bluffe et où je t'affuble de ton nom de cérémonie. Pour nous tous, tu es, le jour, « Son Altesse », et la nuit, pour moi seul, tu restes la fille aux yeux bleus du Prater...

« Ecoute-moi, dans ton sommeil : même si l'expérience que Dernet veut tenter te rend toute ta lucidité, je ne crois pas te reprendre physiquement à l'avenir. Ton pouvoir sur moi est trop moral. J'aurais trop peur de profaner celle qui vient d'être toute ma raison de vivre pendant des années... Au fond, c'est tellement merveilleux ce qui m'est arrivé ! Peut-être suis-je le seul à le découvrir ? Ceux qui nous entourent n'arrivent pas à croire que mes idées soient aussi simples que les tiennes. Car ta folie des grandeurs n'a jamais été orgueilleuse. Sans toi, je n'aurais jamais compris à quel point c'est beau d'aimer avec son cerveau ! On ne me suppose pas capable d'avoir ces sentiments-là, sous prétexte que je n'ai pas d'instruction, mais je sais qu'il n'est pas nécessaire d'être instruit pour avoir du cœur ! Toi, tu es fine, Michaëla, et tu me comprends ! Tu m'avais déjà deviné, le jour où tu m'as laissé baiser ta main, sans la retirer et quand je t'ai demandé humblement si tu acceptais de devenir ma femme... Tu te souviens bien de ce jour, n'est-ce pas ? Et de celui de notre mariage ? »

Kier ne parlait plus. Il voyait se dérouler ce mariage, quelques années plus tôt, à Saint-Wolfgang, dans le Tyrol.

Malgré l'hiver, le cirque Kier — qui n'arrêtait jamais sa ronde — y donnait deux représentations. Il y avait une immense curiosité ce jour-là, au joyeux Tyrol pour la mariée si blonde et pour l'homme en habit rouge... La neige tombait très légère sur les accordéons qui précédaient le cortège... Tout le cirque était de la noce. Kier revoyait ses témoins : le fidèle Carl et le nain Ulysse. Michaëla avait choisi Théodore, le doyen des Augustes — l'éternel bégayeur — et la contorsionniste miss Kremser. Et le discours du maire, paysan de Saint-Wolfgang, lui revenait en mémoire... Bien embarrassé ce discours de maire, mais combien charmant ! « *Vous voilà donc marié, monsieur le Directeur... Vous, mademoiselle, devenez Mme la Directrice. Ce n'est pas trop d'être deux pour mener une pareille maison ambulante ! Nous vous souhaitons le bonheur et je vous re-*

mercie au nom du Conseil municipal de Saint-
Wolfgang pour les places que vous lui avez ré-
servées à la représentation de ce soir. »

Tout le Conseil municipal, avec femmes et enfants, était venu, au grand complet, pour la représentation. Kier y avait paru à la tête de ses
vingt-quatre étalons, comme si aucun événement marquant ne s'était produit. Pendant ce
temps, sa jeune femme l'avait attendu dans sa
roulotte particulière. Le matin même, elle avait
travaillé en piste, sous la direction de celui auquel elle se donnerait quelques heures plus
tard. Après le mariage, il y avait eu un grand
bal, dansé sur le plancher de bois que l'on ins-
tallait régulièrement sur la piste pour le numéro des cyclistes. Les orchestres du cirque
s'étaient relayés et la population de Saint-Wolfgang s'était mêlée au personnel. Le buffet, installé au bar, avait été envahi par des gens simples, de braves gens. Et le vieux plongeur à
casquette avait pleuré de joie en rinçant les
verres aux parois mousseuses...

La représentation terminée, le cirque avait
plié ses tentes et Kier avait vécu sa lune de
miel dans sa roulotte, pendant les nuits où le
lourd convoi cheminait sur les routes. Kier
était doublement heureux : celle qu'il présenterait bientôt en piste aux Bruxellois était devenue « sa » femme...

La vision du mariage s'était évanouie... Kier

se retrouvait seul, sans son cirque, auprès du lit de Son Altesse...

« L'accident est de ma faute, Michaëla... C'est moi qui t'ai entraînée à te produire dans ce numéro... C'est moi seul qui t'ai obligée à monter en amazone et tu n'as pas pu te dégager de la fourche de la selle. Cela ne se serait pas produit si ta présentation avait été faite à califourchon. Je suis le vrai responsable à tes yeux et à ceux des autres. Même si eux ne me pardonnent pas, toi, tu le feras quand tu sauras ce que ton numéro représentait pour moi ! Et ce que je voulais faire de toi ! Cela m'étouffe : il faut que je te confie tout, ce soir...

« J'ai voulu te faire exécuter un numéro de haute école, parce que c'est la plus belle chose qu'on puisse voir au monde ! Bien que mes origines soient très modestes, je sais que je te rejoins, toi, l'aristocrate, par le cheval. Les gens de chevaux se retrouvent toujours entre eux...

« Souviens-toi de ce numéro que j'avais conçu pour toi : tu faisais ton entrée sur un trot rapide, avec toute cette désinvolture naturelle que tu savais mettre dans tes moindres gestes... Je t'avais appris à la communiquer à ton cheval. J'ai eu beaucoup de mal à obtenir de toi ce salut au public, en plein centre. Tu ne comprenais pas que ce petit geste de tête voulait dire : *Tout à l'heure, braves gens, c'est vous qui mettrez chapeau bas devant ce que je fais...*

« Aussitôt commençait ton travail des deux pistes, dans lequel l'avant-main et l'arrière-main de la bête traçaient deux pistes parallèles. Combien de fois ai-je insisté pour ce que tu recommences ces appuyés « tête au mur » et « croupe au mur », où ta légèreté se manifestait par un équilibre parfait entre l'amazone et le cheval. A ce moment de ton numéro, tu incarnais pour tous la femme jeune, énergique, qui domine de toute sa féminité patiente l'animal. Pour moi seul, cette première partie représentait le début d'une lutte prodigieuse entre l'être humain, qui raisonne son travail, et l'animal qui l'exécute aveuglément.

« Tu n'as pas dû oublier cette répétition où tu as voulu absolument changer de main, par les tensions des hanches, sans faire mettre les guêtres à ton cheval ! Ma pauvre Michaëla ! Quelle chute tu as faite ce jour-là ! Tu riais comme une petite folle et pourtant tu t'étais fait très mal ! Seulement tu ne voulais pas le montrer ! Cette chute fut nécessaire. Ce n'est que le nez dans la sciure que tu as compris que les conseils de ton mari étaient bons.

« Tu terminais toujours ta reprise de trot par quelques temps de passage, ce trot raccourci et écourté par lequel ton cheval gagnait en hauteur et perdait en longueur. Tu représentais à ce moment, sans même t'en douter, l'effort hu-

main qui se hausse à un diapason sublime...
Parfois ce passage manquait d'élégance, aux répétitions, quand ta bête n'était pas assez
« cuite ». Tout ce travail était exécuté sur le
rythme musical à deux temps, que j'avais choisi.
Dès que l'orchestre opérait son brusque chan-
gement de mesure, tu attaquais, sur trois
temps, la reprise au galop. Et pour que la foule
pût t'admirer sous tous les angles, je t'avais
obligée à travailler sur le pied droit, avec plusieurs doublés et de nombreuses voltes. Là tu
étais devenue déjà la femme qui règne et qui
agit selon ses caprices... Pour montrer la puissance absolue de ce règne éphémère, tu recom-
mençais le même travail à faux. Beaucoup de
spectateurs, qui n'étaient pas de la partie, n'y
comprenaient rien... Tant pis pour eux !

« L'orchestre changeait de rythme une fois
encore et, sur quatre temps, commençait
« ton » pas espagnol. Cette extension des infé-
rieurs de la bête te donnait une allure suprême
de conquérante, qui veut « en rajouter » pour
savourer pleinement son triomphe...

« Le prélude du *Danube bleu* amenait insensiblement ta valse finale ; les projecteurs se
voilaient et tu te laissais entraîner sur ta monture dans un tourbillon de rêve et de fantas-
magorie. C'était alors toute l'ivresse de la femme qui était heureuse de vivre !

« Ce délire t'emportait vers la sortie de
piste et soulevait la salle... En dix minutes, ma

jeune femme, j'étais arrivé à te faire gagner la plus délicate de toutes les parties équestres...

« Il m'a fallu une année, ajoutée à ma connaissance du cheval et à ma passion pour toi, pour obtenir un tel résultat !

« Pardonne-moi de t'avoir parlé de tout cela ce soir... Mais je n'arrive à exprimer vraiment ce que je ressens pour toi qu'en usant des termes de mon métier. Si j'employais les phrases consacrées de tous les autres, je serais pitoyable !

« Je me tais... j'en ai beaucoup trop dit ! Continue de dormir ! Je reste à côté de toi, silencieux. Comme toutes les autres nuits, je veille... »

CONSULTATION

Kier était resté enfermé dans son bureau pendant des journées entières. Il avait lu et relu le *Précis de Psychiatrie* du Dr Valensi et le le *Précis de Pathologie interne* du Dr Claude. Il cherchait... Il voulait savoir si l'expérience proposée par Dernet n'était pas complètement folle elle-même. Il était loin d'être tranquille et avait regretté plusieurs fois d'avoir donné au peintre une acceptation de principe. Il venait de recevoir une lettre de Dernet dans laquelle celui-ci envoyait des nouvelles détaillées des répétitions sous la direction attentive d'Isabelle, qui surveillait le dressage de l'animal. Pour obtenir un meilleur résultat, la paralytique n'hésitait pas à se faire rouler dans sa voiture jusqu'au centre de la piste : rien n'était laissé au hasard.

Mais ce dressage, si parfait fût-il, ne suffisait

pas à Kier, qui avait pris une sage décision :
convoquer les plus grands spécialistes de maladies mentales au château.

Ils venaient de différents pays. Carl était allé
les chercher à la gare, Kier les attendait d'une
minute à l'autre. Il avait beau s'être plongé,
avec patience, dans les livres les plus ardus —
et c'est alors qu'il s'était félicité d'avoir appris
à lire sur le tard — il sentait bien que ce n'était
pas son métier, qu'il n'était pas dans son élément et que son esprit méthodique ne suppléerait pas à toute une science.

Un valet annonça :

— Le Dr Bonhomme...

C'était le médecin du pays. Kier ne le connaissait pas, mais l'avait appelé en consultation
pour avoir au moins l'avis d'un médecin français. Carl le lui avait conseillé discrètement.

— Patron, la présence du Dr Bonhomme empêchera la population de trop parler... Elle voit
entrer et sortir d'ici déjà bien assez d'étrangers !

Le Dr Bonhomme portait admirablement
bien son nom. Il était rondelet, courtaud, avec
— au-dessus de ce petit corps — une figure
épanouie et sympathique. C'était le médecin de
campagne bon enfant, jovial, apte à toutes les
sauces médicales... On le sentait aussi capable
de faire une césarienne que de trépaner un ac-
cidenté sur le bord d'une grand-route. Ce
n'était peut-être pas un médecin très élégant

mais la sûreté de son diagnostic, acquis par une longue pratique, lui ralliait tous les suffrages. C'était aussi un fin psychologue, connaissant les ruses et la méfiance naturelle des paysans, auxquels il arrivait presque toujours à arracher, peu à peu, les secrets des misères physiques qu'ils voulaient cacher.

Le Dr Bonhomme n'avait jamais pénétré dans le château de Vérac depuis l'agonie de l'ancien propriétaire, le vieux marquis. Malgré cela il n'avait nullement l'intention de montrer, à l'égard des nouveaux habitants du château, la même méfiance que les habitants du pays. Il avait pour principe de mettre en pratique, dans la vie courante, la seule méthode expérimentale : il faut connaître avant de juger. Ce fut donc un homme sain et sans la moindre idée préconçue qui fut introduit dans le cabinet de Kier.

— Bonjour, docteur !

— Je suis enchanté, monsieur Kier, de faire enfin votre connaissance. Avouez que vous avez attendu un certain temps avant de faire appel à mes modestes services !

— Je le reconnais...

— Et vous aviez tort, car votre personnalité m'est très sympathique ! Il n'y a pas assez de gens comme vous dans le pays ! Vous apportez, avec votre château et votre façon si étrange d'y vivre, un peu de ce piment qui manque tant à la région !

— Je fais partie de la galerie des phénomènes ?

— Je ne l'aurais pas dit... Que puis-je pour
vous ?

— Cigare, docteur ?

— Volontiers.

— Whisky ?

— Plutôt armagnac.

— Décidément, les Français aiment les choses de chez eux.

— Ils ont raison, mon bon monsieur : ce
sont les meilleures ! Je n'appartiens pas à cette
catégorie de médecins qui prétendent que fu-
mer ou ingurgiter un bon petit verre de temps
en temps est une hérésie. J'apprécie les bonnes choses que Dieu a faites. C'est même le
seul point de rapprochement très net que j'ai
avec le curé de Roffignac. Connaissez-vous notre curé ?

— Ma foi non.

— Vous avez tort, monsieur Kier ! C'est un
charmant homme qui vous passionnerait en
vous racontant, dans ses moindres détails, le
passage des Alpes par le troupeau d'éléphants
d'Annibal. Cela pourrait peut-être vous rendre
service pour les prochains déplacements de votre cirque ?

— Je ne m'occupe plus de mon cirque depuis
deux ans, mais de Mme Kier...

Et il exposa au médecin, stupéfait, le motif
qui avait déterminé cette consultation à la-

quelle il allait prendre part. Il lui raconta rapidement la vie, la carrière de sa femme et l'idée de Dernet.

— Qu'en pensez-vous ? lui demanda-t-il, en guise de conclusion.

— Pas grand-chose de bon, répondit nettement le docteur. Voilà certes, une idée généreuse, mais enfin ! Ce n'est qu'une utopie d'artiste ! Elle n'est fondée sur rien de sérieux au point de vue thérapeutique ! Cette expérience serait de la démence pure !

— Y a-t-il une chance de réussite ?

— Il y a toujours une chance, même dans les cas les plus désespérés... Sinon on ne tenterait jamais rien ! On ne se serait pas servi du radium pour les cancéreux et il n'y aurait pas de solariums pour les tuberculeux !

— Mme Kier n'en est tout de même pas là !

— D'après ce que vous venez de me dire de sa vie et de l'accident qui a motivé sa folie, j'ai tout lieu de craindre qu'elle ne soit incurable. Peut-être ces confrères étrangers, qui vont arriver d'un moment à l'autre, ne seront-ils pas de mon avis ? Peut-être trouveront-ils l'expérience sensée ? Je dois vous avouer que je ne serai, dans cette consultation, que la cinquième roue du carrosse, puisque je ne suis pas spécialiste des maladies mentales ou nerveuses. Je n'ai pour moi, dans le cas présent, que mon bon sens. S'il peut aider à faire jaillir la lumière, il vous est acquis !

— Merci, docteur, c'est déjà beaucoup !

Kier fut interrompu par l'entrée de Carl :

— Patron, ces messieurs sont arrivés...

Ils étaient trois : Herr Professor Kleng, directeur de l'asile de Hambourg où Michaëla avait été internée deux fois ; le Dr Meruna, grand spécialiste à la réputation mondiale, venu spécialement de Budapest, et le Dr Bleurer.

Ce dernier habitait depuis deux années au château : Kier l'avait arraché à prix d'or à une clinique de Lausanne. Bleurer était devenu le médecin particulier de Son Altesse. C'est lui, qui, avec Kier, avait étudié progressivement les moindres réflexes de la démente dans le calme de la retraite. Il avait contribué puissamment aux améliorations sensibles dans l'état de la malade.

Kleng, Meruna, Bleurer et Bonhomme : quatre noms avec lesquels Kier allait décider si, oui ou non, l'expérience se ferait.

Les présentations terminées, les praticiens prirent place pour délibérer. Kier présidait derrière son bureau :

— Le Dr Bleurer a dû vous mettre au courant pendant le trajet ?

Les têtes du Pr Kleng et de Meruna s'inclinèrent. Kier poursuivit :

— Je viens moi-même d'en faire autant avec

240

le Dr Bonhomme... Franchement, messieurs, que pensez-vous de l'expérience que nous voulons tenter ?

— Monsieur Kier, commença cérémonieusement Herr Professor Kleng, l'idée de cette expérience est intéressante... Il est certain que faire revivre par un individu exactement le moment précis qui a engendré sa crise de démence, est une méthode originale et hardie. La reconstitution d'un événement déterminant dans la vie d'un être donne toujours des résultats probants. Voyez en criminologie : la reconstitution du crime pousse souvent l'assassin présumé aux aveux les plus complets. Pourquoi n'en serait-il pas de même en psychiatrie ? Pourquoi la répétition voulue ne déterminerait-elle pas le choc inverse, capable de ramener la malade à la réalité ? Mais comme nous devons nous montrer prudents, il serait indispensable que ces messieurs et moi-même examinions Mme Kier avant de vous donner une réponse définitive.

— C'est que... déclara le Dr Bleurer, je crains que Son Altesse ne se laisse difficilement examiner par nous quatre ! Cela la troublera ; elle est inhabituée à ce nouveau genre de « cérémonial »... J'ai eu moi-même un mal infini à la soigner et je n'y suis parvenu qu'après beaucoup de temps !... Ce n'est que parce qu'elle m'a vu tous les jours, pendant des années qu'elle a fini par s'habituer à moi !

— Cet examen est pourtant nécessaire, tran-cha le Dr Meruna.

Kier sonna :

— Carl, priez Fraülein Greta d'informer Son Altesse qu'une délégation des plus grands mé-decins de son royaume désire lui présenter une requête...

Lorsque Carl fut sorti, Kier continua :

— Nous sommes obligés de prendre des pré-cautions infinies... Le Dr Bleurer vous confir-mera que c'est grâce à cette seule méthode que nous avons pu obtenir les résultats actuels. Je vous supplie donc, messieurs, d'agir avec dou-ceur à l'égard de Mme Kier... Je sais que ma recommandation est superflue vis-à-vis de spé-cialistes de votre renom, mais j'ai tellement peur du plus petit incident, qui risquerait de rompre la monotonie confortable de la vie de ma femme ! Elle est si heureuse en ce moment...

— Et vous ? demanda avec une certaine brus-querie Meruna.

— Oh ! moi... cela offre si peu d'importance !

— Je ne suis pas de votre avis, monsieur Kier, dit le Pr Kleng ; il est bon que vous soyez heureux, vous aussi ! N'êtes-vous pas le moteur de cette vie si étrange ? Sans vous, il n'y aurait pas eu de « plus belle écuyère du Monde », pas d'accident, pas de château, pas d'expérience projetée ! Mais vous pouvez être rassuré : mes confrères et moi avons suffisamment l'habitude des malades de ce genre pour ne pas brusquer inutilement Mme Kier.

— Eh bien, pas moi ! avoua le Dr Bonhomme. Et ceci parce que, heureusement pour notre région, les fous y sont assez rares !

La porte du bureau s'ouvrit à deux battants : les valets poudrés firent leur apparition selon le cérémonial habituel. Ils précédaient Son Altesse, toujours belle dans un charmant déshabillé rose pâle à longues manches. Sa blondeur sur ce rose était tout Vienne... Les présentations furent solennelles. Son Altesse condescendit à s'asseoir. Kier, qui s'était levé pour lui baiser la main à son entrée, revint à son bureau :

— Ces messieurs ne sont venus que pour savoir si Votre Altesse caresse toujours cet admirable projet, dont elle m'a souvent parlé, d'hospice pour les pauvres.

— Oui, oui... messieurs... J'y pense sans cesse ! Mais j'ai songé à tant de choses que mes idées se brouillent ! Je veux que cet hôpital populaire ait un confort merveilleux et que sa décoration intérieure soit gaie, avec ces couleurs tendres qui inciteront au rêve ou seront une invitation à l'amour...

— Dans un hôpital ? demanda le Dr Kleng assez surpris.

— Pourquoi pas, monsieur le Professeur ? Vous savez comme moi qu'il n'y a jamais assez d'amour dans un hôpital ! Vos escaliers, vos couloirs et vos chambres de clinique sont toujours lugubres !

— Les désirs de Son Altesse restent des ordres répondit d'un ton doucereux le Dr Meruna. Son Altesse veut sans doute que l'hôpital regorge de distractions pour ses malades ?

— C'est cela ! Je veux beaucoup de distractions ! Toutes les distractions... avec de grands artistes qui chanteront, danseront... Mais surtout pas de clowns !

— Pas de clowns ? questionna Bleurer, saisi par cette réflexion.

— Ils sont affreux ! Ils me font peur...

— Comme aux enfants, souffla Kleng à Kier.

— Et ce sont des êtres trop tristes... J'aime les gens gais !

— Faudra-t-il des animaux savants ? continua Bleurer.

— Non ! les pauvres... Ils sont trop malheureux eux-mêmes pour amuser les hommes !

— Si je saisis bien la pensée de votre Altesse, il ne faut, dans ces distractions, absolument rien qui touche au cirque ?

— Au cirque ? demanda Michaëla, étonnée. Elle sembla réfléchir quelques instants et faire un gros effort de mémoire avant de demander :

— Cirque ?... Qu'est-ce que cela ?

— Son Altesse ne se souvient pas ?

Après avoir lâché la dernière question, le Pr Kleng s'était levé et approché insensiblement du fauteuil où trônait la démente pour continuer, presque à voix basse :

— Mais oui... le cirque... Son Altesse sait bien : avec les chevaux qui tournent en rond !

— Les chevaux ? répéta Son Altesse haletante.

— La piste !

— La piste ?

Son Altesse ouvrait des yeux immenses, débordants de vie folle... Des yeux qui essayaient de comprendre... et, subitement, elle éclata en sanglots en hurlant :

— Vous me fatiguez tous ; allez-vous-en !

Elle se cramponnait aux bras de son fauteuil, mais Kleng poursuivait, implacable :

— Ces messieurs et moi-même ne nous en irons que lorsque Son Altesse nous aura dit si elle sait monter à cheval ?

— A cheval ?

La malheureuse hésita mais finit par répondre au milieu de ses sanglots :

— Naturellement ! Pourquoi cette question stupide ? Où est mon cheval ? Qu'a-t-on fait de mon cheval ? Je veux mon cheval !

Elle s'était levée frémissante.

— Son Altesse le retrouvera bientôt, dit doucement Meruna.

— Tout de suite ! Je le veux ! Il me le faut... Et puis, à quoi cela vous sert de savoir si je sais monter à cheval pour ouvrir votre hôpital ?

— Tiens ! Voilà la première réponse logique qu'elle nous fait ! remarqua Kleng.

— Cette réponse est même celle d'un esprit équilibré qui sait reprendre le fil de la conversation, continua Bleurer. Constatez vous-même, mon cher professeur — vous qui l'avez eue comme pensionnaire à Hambourg — qu'elle a fait de sérieux progrès.

— Immenses, mon cher confrère ! Et ceci grâce à vous ! Je vous félicite...

Les congratulations mutuelles allaient commencer lorsque le Dr Bonhomme, qui n'avait pas encore prononcé un seul mot et s'était contenté d'assister en spectateur muet à toute la scène, posa timidement une question à ses confrères :

— Si nous lui demandions de nous dire son nom de famille ?

Bleurer répondit sèchement :

— Cette question est inutile, mon cher confrère. Elle ne répondra plus rien en ce moment.

— Je ne suis pas du tout de votre avis ! dit le Dr Bonhomme, têtu. Ou Mme Kier a conscience de son identité, ou elle ne l'a pas... Et, dans ce dernier cas, il ne faut tenter l'expérience pour rien au monde !

— Notre confrère français semble émettre quelques doutes sur la qualité des méthodes que nous employons pour examiner votre femme, déclara avec aigreur le Pr Kleng. Mais il est bien évident, aussi, que si nous demandons à la malade son nom, elle nous répondra immédiatement !

— Son Altesse consent-elle à nous dire son nom ? demanda Bleurer.

— Pourquoi cette question ridicule ? répondit Michaëla. Ah ! c'est trop drôle !

Et elle éclata d'un rire aigu avant de se tourner vers Kier :

— Ces messieurs veulent savoir mon nom ! Comme si on pouvait l'ignorer ! Dites-le leur donc vous-même pour qu'ils apprennent à me connaître, moi, l'Altesse Royale... Tout le monde me vénère ! Il n'y a que ces petits médecins pour faire exception ! C'est incroyable !... Je ne veux plus de gens aussi mal élevés à ma cour... Retirez-vous, messieurs, avant que je n'appelle le capitaine du palais. Je ne vous retiens pas...

Elle avait prononcé ce dernier ordre d'un ton tranchant qui coupait court à toute conversation. A partir de cet instant elle resta enfermée dans un mutisme buté. Toutes les questions pressantes de Kleng, de Meruna et de Bleurer restèrent sans réponse. La démente était vexée et elle toisait ses visiteurs avec un mépris total... Fraülein Greta, sonnée immédiatement par Kier, vint annoncer :

— Le thé de Son Altesse est servi dans ses appartements privés.

Michaëla se leva, hautaine, et se dirigea, sans dire une parole et avec une dignité souveraine, vers la porte pendant que les médecins s'inclinaient respectueusement. Kier, debout derrière son bureau, dit avec calme dès que sa femme fut sortie :

— Vous venez de fatiguer inutilement Mme Kier, messieurs... J'estime que vous avez eu le plus grand tort d'insister !

— Non, monsieur Kier ! répondit le professeur Kleng. Nous avons agi avec sagesse : ce premier examen était indispensable.

Et, après avoir jeté un coup d'œil à ses confrères, il ajouta :

— Ces messieurs et moi avons déjà une idée assez précise sur le véritable état mental actuel de Mme Kier... Si vous le permettez, nous allons délibérer et nous vous demanderons, pour cela, l'autorisation de passer dans une autre pièce pour une ultime consultation entre nous. Ce ne sera qu'ensuite que nous pourrons vous donner une réponse.

Kier sonna à nouveau. Carl reparut et, sur un signe du patron, souleva une tapisserie. Le corps médical pénétra dans la bibliothèque voisine ; le Dr Bonhomme fermait la marche. Avant que la tapisserie ne fût retombée, Kier avait entendu la voix du petit docteur dire :

— Elle n'a tout de même pas dit son nom ! Ce qui m'étonne le plus n'est pas qu'elle l'ignore, mais qu'elle ait eut conscience de son ignorance... Cela lui a remis en mémoire le réflexe menteur qui consiste à dire : « Vous me posez une question trop difficile, à laquelle je ne sais pas quoi répondre ! Mais comme je ne veux pas vous démontrer ma déficience intellectuelle pour ne pas déchoir dans vos esprits, je vous réponds : « Adressez-vous donc au voisin !... » Avouez, messieurs, que c'est un curieux réflexe chez une démente ! Et j'en arrive à me demander si elle est vraiment aussi folle que nous voulons bien le croire. Ne nous jouerait-elle pas une extraordinaire comédie ? Et quand je dis « nous », ne la jouerait-elle pas depuis des années à tout le monde ?

La voix se perdit et Kier se contenta de hausser les épaules : il savait mieux que personne lui, que deux fois déjà Michaëla s'était montrée folle à lier quand elle avait lacéré le tableau de Dernet et lorsqu'elle s'était jetée à la tête du cheval d'Isabelle en pleine représentation...

Il attendit pendant plus d'une heure, silencieux, en compagnie de Carl, dans le cabinet de travail. La consultation se prolongeait... Par moments quelques éclats de voix filtraient : tous ne semblaient pas du même avis dans le corps médical... Tout à coup la tapisserie se souleva et le Dr Bonhomme parut, congestionné :

— Fous, complètement fous ! Ces spécialistes des maladies mentales devraient être enfermés les premiers !

— Mais, docteur, dit Kier.

— Je m'en vais, monsieur Kier... Je vous les

abandonne ! Je ne comprends rien à leurs savants raisonnements qui font preuve d'un manque absolu de logique ! Je préfère me retirer avant le verdict ou la rédaction d'un bulletin de consultation que je ne signerai pas !... Et je tiens à ce que vous sachiez que mon avis est diamétralement opposé à celui de ces messieurs... Je vous en supplie, monsieur Kier, ne tentez pas l'expérience ! En supposant même qu'elle réussisse, les risques — qui consistent à lâcher cette jeune femme, qui n'est pas montée à cheval depuis des années, sur une piste — sont trop grands, trop lourds de conséquences !

— Cependant, docteur, il me semblait vous avoir entendu dire tout à l'heure à ces messieurs que vous vous demandiez si Mme Kier ne jouait pas la comédie ?

— Je me le demande toujours...

— Vous êtes donc en contradiction avec vous-même en vous opposant à ce que l'expérience soit tentée ?

— Non, monsieur Kier ! En admettant même que votre femme joue la comédie depuis des années, pour des raisons qui nous échappent, c'est également un autre genre de folie... Et celle-là est dangereuse parce qu'elle est dirigée par une idée fixe de la volonté... Et rien n'empêche que, le jour de la fameuse « expérience », Mme Kier ne provoque volontairement un nouvel accident... Ce jour-là, notre responsabilité à tous serait écrasante ! J'ai bien écouté tout à l'heure ce que vous m'avez dit au sujet de ce que l'on peut considérer comme une double tentative de meurtre sur l'écuyère qui l'avait remplacée : en essayant d'abord de l'étrangler le soir du souper, et, le lendemain, en s'attaquant directement au numéro sur la piste... N'y a-t-il pas là une ligne de conduite bien tracée ? Une continuité dans l'idée fixe ?... Et la jalousie ne serait-elle pas à la base de tout ?

— Michaëla n'a aucune raison d'être jalouse d'Isabelle !

— Peut-être pas au sens exclusivement « féminin » où vous l'entendez mais à celui d'une sorte de jalousie professionnelle. Si Mme Kier n'a pu admettre, voici quelques années, d'avoir été remplacée dans l'idéal de Beauté que vous aviez créé pour elle, pourquoi ne recommencerait-elle pas le jour de l'expérience ?

— Mais elle ne pourra plus s'en prendre à la pauvre Isabelle, ni à aucune autre remplaçante puisque je n'ai plus remonté le numéro !

— Elle peut quand même tuer des spectateurs en affolant son cheval par un réflexe irraisonné !

— Cela ne m'inquiète pas : Isabelle aura fait le nécessaire pour que le cheval sòit bien dressé et exécute le numéro comme s'il n'avait pas d'écuyère.

— Sait-on jamais ? Et ce serait vous, Kier, directeur du cirque portant votre nom, qui se-

riez le grand responsable de vies humaines bri-
sées pour rendre soi-disant la raison à votre
femme !

— Je vous répète que toutes les précautions
seront prises, docteur !

— Alors, bonne chance !

— Combien vous dois-je, docteur ?

— Absolument rien, monsieur Kier ! De plus
je n'ai fait que de l'obstruction aux théories de
ces grands messieurs. Et le client, vous en l'oc-
currence, n'aime pas beaucoup payer le médecin qui parle contre ses désirs ! Je ne vous demande qu'une chose : envoyez-moi un modeste
strapontin le jour de l'expérience. Je suis tout
de même curieux de voir ce qui se passera et...
de vous aider au besoin ! Enfin — mais cela
c'est une petite confidence ! — j'adore le cirque... Malheureusement, il n'en vient jamais
dans nos régions perdues !

Après le départ du Dr Bonhomme, la délibé-
ration Kleng-Meruna-Bleurer dura encore une
bonne heure. Les trois spécialistes parurent
enfin :

— Alors ? demanda Kier.

— Nous estimons que l'expérience mérite
d'être tentée, déclara le Pr Kleng. Nous sommes
trois de cet avis ; le seul qui ne partage pas notre opinion est votre brave médecin de campagne assez peu familiarisé avec ce genre de
malade...

— Je sais, dit Kier en souriant.

— La seule chose importante est que la majorité du Corps médical soit du même avis ! D'ailleurs nous serons tous à vos côtés le jour de l'expérience... Quand pensez-vous la faire ?

— En juin prochain.

— D'ici là, l'état de Mme Kier se sera encore amélioré grâce aux soins vigilants que continuera à lui donner le Dr Bleurer, déclara Meruna. Bien entendu, nous comptons sur vous monsieur Kier et sur votre dévoué personnel pour que l'atmosphère de la soirée de Bruxelles soit exactement reconstituée ?

— Permettez-moi, mon cher confrère, demanda Bleurer au Pr Kleng de vous poser une question : quand Mme Kier était votre pensionnaire à Hambourg, quel traitement clinique avez-vous employé à son égard ?

— Le traitement mixte. J'ai commencé par l'insuline et lorsque le choc m'a paru insuffisant, quand l'état comateux fut seulement ébauché, j'ai ajouté dans la phase d'hypoglycémie une petite dose de cardiazol, qui a déterminé une crise épileptique. Celle-ci a eu l'avantage de ne laisser aucun souvenir à la malade...

— Vous étiez encore dans le domaine de l'empirisme, reprit Bleurer, tandis qu'ici — depuis ces cinq années — je reste dans le cycle purement rationnel de l'expérimentation directe sur la malade.

— Et votre méthode semble être la bonne, mon cher Bleurer, puisqu'elle a donné jusqu'à ce jour des résultats très supérieurs à ceux que j'ai obtenus dans ma clinique !

— Vous ne vouliez cependant pas laisser sortir ma pauvre femme de votre clinique ! dit Kier.

— Ne parlons plus de tout cela, voulez-vous, monsieur Kier, puisque c'est le passé et que nous devons regarder l'avenir qui nous paraît à tous infiniment plus consolant... Et puis j'ai l'impression que nous vous avons assez ennuyé avec toutes nos discussions ! Au revoir, cher monsieur, et... à juin prochain ! Ce sera un très grand jour pour votre chère malade, pour vous et pour la Science ! Si cette curieuse expérience réussissait — et elle doit réussir ! — nous aurons accompli un pas de géant dans la thérapeutique finale à appliquer à ce genre de cas infiniment complexe... Sans doute le Dr Bleurer voudra-t-il nous raccompagner jusqu'à la gare ?

Les trois médecins étaient déjà installés dans la voiture, lorsque Kleng se pencha par la portière :

— Monsieur Kier, pour les honoraires, le Dr Meruna et moi-même nous entendrons avec Bleurer, qui vous transmettra... Bien entendu, rien ne presse ! Au revoir et surtout, soyez optimiste ! L'heure de la guérison définitive approche !

Kier fit un signe vague de la main à l'automobile qui s'éloignait, puis il resta quelques

instants, pensif, sur le perron. Son secrétaire
l'attendait dans le vestibule.

— Qu'en pensez-vous, Carl ?

— Ces messieurs ont sûrement raison. Nous
devons les écouter, patron ! Ne sont-ils pas,
dans leur partie, les plus grands spécialistes ?

— C'est vrai. Je suis stupide de me tracasser
encore ! Ce sont des spécialistes...

SOIRÉE DE GALA

Jamais les habitants du canton de Roffignac n'avaient été conviés à pareille fête. Les « gens du Château » les avaient tous invités à une représentation de cirque dans le parc. Quand c'est gratuit, le spectacle paraît deux fois plus agréable.

En longues files, les paysans endimanchés se dirigeaient sous l'allée bordée de sapins, vers la grande pelouse dominée par la masse imposante du château. Pour une fois, les grilles blindées étaient restées ouvertes et les molosses n'aboyaient pas. A 8 heures du soir, il faisait encore grand jour : c'était la fin du printemps.

La théorie des carrioles et des camionnettes, pleines à craquer, était impressionnante. Tout le pays se déplaçait, par curiosité et avec une certaine méfiance, pour savoir enfin ce qui se passait derrière les hauts murs ? Le bruit courait même que l'on assisterait à des choses extraordinaires... Quelques indigènes, mieux informés, affirmaient que la folle du château ferait un numéro pendant la représentation !

Jamais, au cours de sa longue carrière, le cirque Kier n'avait planté ses mâts sur la pelouse d'un parc... C'était un étrange spectacle que de voir toutes ces roulottes peinturlurées, alignées dans un ordre impeccable devant le perron de la façade Renaissance ! Les tracteurs automobiles attendaient, les capots ouverts, sous les grands arbres. Le cirque était arrivé vers midi et devait repartir à minuit, quand la grande expérience, imaginée par Dernet, aurait été tentée. Dans les fermes, à vingt kilomètres à la ronde, il ne devait plus rester personne, si ce n'était le fidèle chien de garde : la venue d'un cirque — et quel cirque ! — n'était pas un événement si courant dans la région...

La représentation avait débuté par un charivari monstre accompagné par la *Marche* de Souza. C'était le spectacle classique de Kier, toujours dosé avec la même proportion d'éclats de rire ou d'émotion. Un spectacle savamment étudié par Isabelle... une Isabelle attentive aux moindres détails :

— Dernet, soyez gentil de me pousser jusqu'à la barrière pour que je puisse me rendre compte de l'ambiance générale.

Dernet poussa la voiture, parce que Ulysse, le nain — dont c'était la fonction habituelle — était en piste à cette minute, soufflant sur la pyramide humaine du charivari, courant de toute la vitesse de ses petites jambes arquées et trop courtes, s'asseyant brutalement sur son gros derrière... Cela réjouissait la foule, amoureuse du grotesque.

Isabelle, qui ne pouvait même pas remuer la tête, voyait cependant tout :

— Otto ! pourquoi cette tente-ménagerie est-elle mal montée ? Frédéric, je tiens à ce que vous restiez à ma disposition pendant toute la représentation ! Ulrich, sanglez-moi plus fort cette jument ! Arrêtez la voiture une minute, s'il vous plaît, Dernet... Miss Tanagra ? Voilà une semaine que je vous ai engagée et j'ai bien observé votre travail. Cela ne me gêne pas de regarder en l'air ! J'ai pris l'habitude d'avoir les yeux au plafond lorsque j'étais à la clinique... Il me serait beaucoup plus difficile de surveiller les pas des danseuses du corps de ballets que d'étudier vos évolutions aériennes...

Le peintre regardait la paralytique ; elle était véritablement devenue hideuse : tout s'était atrophié en elle... La peau de son visage semblait même s'être racornie... Seuls les yeux conservaient une beauté implacable et dure : agrandis par une souffrance continuelle, ils scrutaient les plus petits détails et n'admettaient pas la moindre défaillance chez les autres. C'était le regard d'une femme qui avait oublié ce qu'était la pitié et cherchait à tirer, comme Kier l'avait fait avant elle, le maximum de chacun pour le rendement du spectacle ou la seule gloire du cirque. C'étaient également des yeux dans lesquels passaient trop souvent des lueurs de jalousie qui disaient avec plus d'éloquence que n'importe quelle parole : « Moi aussi j'ai connu le triomphe en piste ! Et je ne m'en suis pas grisée ! » Ce qui était vrai, puisqu'elle n'en avait pas eu le temps.

— Miss Tanagra, votre travail aérien est trop fait « en force ». Il n'y a pas un instant où vos membres soient détendus ! Pourtant vous avez deux beaux moments dans votre numéro : la suspension par la nuque et celle par la cambrure des talons, en grand élan... Mais pourquoi, travaillant sur la piste centrale, regardez-vous sans cesse les perchistes qui occupent la piste de gauche ? C'est déplorable ! Ne vous occupez donc pas des autres, mais uniquement de ce que vous faites !

La petite Tanagra, poupée aux cheveux platinés, pâlit sous le reproche et répondit, les yeux embués de larmes :

— Je sais, mademoiselle, que j'ai tort de regarder ainsi mes voisins de travail, seulement c'est plus fort que moi ! Quand j'étais en Amérique, chez Ringling Brothers, mon trapèze était également monté au-dessus de la piste centrale... Au-dessus de la piste de gauche évo-

260

luait une troupe de trapézistes volants... Le soir de la première représentation à Chicago, au moment où je venais d'atteindre mon trapèze, je vis un des trapézistes de gauche qui s'écrasait sur le sol en dépit du filet de protection... Je n'eus pas le temps de m'apitoyer, ni le droit d'être émue... Je dus exécuter tout mon numéro. Et sans filet, moi ! J'accomplis ma série d'exercices comme un automate et je me demande encore aujourd'hui comment je pus la mener à bien ce jour-là. Dès que j'eus mis pied à terre, je courus aux nouvelles et j'appris que l'artiste avait été tué sur le coup : c'était mon fiancé... Depuis ce jour-là, instinctivement, je ne peux pas m'empêcher de regarder, entre deux de mes exercices, ceux qui évoluent à vingt-cinq mètres au-dessus de la piste de gauche...

La petite Tanagra baissait la tête, presque rougissante d'avoir raconté son histoire. Isabelle n'avait pas bronché, les yeux toujours fixés vers le ciel. On sentait que les drames cachés des autres lui étaient indifférents... Le sien lui suffisait. Elle n'eut aucune réponse pour la trapéziste et se contenta de dire sèchement à Dernet :

— Allons à la barrière...

Pendant qu'il poussait la voiture, le peintre se demandait avec angoisse :

— A-t-elle seulement conservé un cœur ?

A chaque fois que la voiture arrivait à la

barrière, les valets de piste s'écartaient pour que la paralytique pût suivre le spectacle des yeux :

— Le rythme de ce numéro est bien trop lent ! dit une voix rauque près d'Isabelle et de Dernet.

C'était la voix de Kier... Un Kier dont le crâne était à nouveau passé à la pierre ponce... Un Kier cassant, sanglé dans son habit noir de piste, qui se préparait à présenter à nouveau ses vingt-quatre étalons comme il l'avait toujours fait, comme si rien ne s'était passé entre-temps...

— Je vous avais promis, continua-t-il à l'intention du peintre, d'être fidèle à notre rendez-vous... J'y suis ! Je viens de passer l'inspection détaillée de ma cavalerie : sa forme est parfaite. J'ai examiné également de très près le pur-sang que va monter Michaëla.

— Et comment le trouvez-vous ? demanda Isabelle avec une pointe de défi.

— Identique à celui de Bruxelles. Vous avez réalisé là un véritable tour de force ! Le dressage semble au point.

— Il l'est ! affirma avec force Isabelle. C'est bien ce que vous vouliez pour cette soirée, n'est-ce pas ? Et l'écuyère, comment est-elle ?

— Etonnamment bien. Je vous remercie, Isabelle, pour tout ce que vous avez fait... Ma femme est actuellement dans la roulotte que vous lui avez fait aménager et qui est identiquement semblable à celle qu'elle avait toujours habitée.

— Elle s'y est rendue sans trop de difficultés ?

— Oui, elle a consenti à sortir du château.

— Et qu'a-t-elle dit en voyant le cirque ?

— Rien ! Il n'y a qu'une chose dont elle ne veut pas entendre parler : la robe d'amazone... Impossible de la lui faire mettre !

— Il le faut pourtant ! déclara Dernet.

— Nous avons essayé de la persuader, à tour de rôle, Fraülein Greta, Carl et moi-même... Il n'y a rien à faire !

— Mais il est indispensable, affirma le peintre, qu'elle soit dans l'ambiance totale et exacte de son numéro qui doit être reconstitué jusqu'au moindre détail du costume ! J'y vais...

Il partit rapidement. Kier avait ajusté son monocle pour inspecter la salle. Des troupes d'antipodistes occupaient les trois pistes.

— Et vous, Isabelle, comment vous sentez-vous ? demanda Kier, toujours hautain et raide à côté de la voiture.

— Ni mieux ni plus mal ! répondit la paralytique. Vous vous intéressez donc à ma santé, maintenant ?

— Mon devoir ne me commande-t-il pas de le faire pour tout mon personnel ?

— Vous avez raison puisque je ne suis, après tout, que la principale employée...

— Vous m'en voulez toujours ? demanda lentement la voix de Kier après un silence pesant.

— Pourquoi vous en voudrais-je ? Nous avons tous deux orienté nos existences comme nous l'avons pu... Vous pour une femme et moi pour le cirque.

Le mot « femme » avait été prononcé avec mépris, mais Kier fit comme s'il ne s'en était pas aperçu et demanda avec plus de douceur :

— N'était-ce pas un peu moi que vous aimiez à travers ce cirque ?

— Vous avez été long à le découvrir !

— Je n'ai rien découvert ! Je constate un fait, voilà tout !... Ces antipodistes sont excellents.

— Oui. De très bons numéros...

— Une excellente salle aussi ce soir... dit encore plus doucement Kier.

— Ah non ! Gardez cette phrase pour tout à l'heure, quand Michaëla sera sur le point d'entrer en piste... Qui sait ? Elle en aura peut-être besoin, elle aussi !... Car cette phrase, que vous me répétiez tous les soirs, m'était nécessaire quand j'y entrais moi-même... Je ne sais trop pourquoi, mais elle me faisait un bien immense ! Et j'aurais eu de la peine si, un soir, vous ne me l'aviez pas dite, si vous aviez oublié... Je crois que la présentation de mon travail s'en serait ressentie... Heureusement, vous ne l'oubliiez jamais ! Vous êtes admirable, Kier, quand il s'agit d'encourager les autres pour en tirer quelque chose !

— Changeons de conversation, voulez-vous ?... Parlons métier, ce sera préférable.

— C'est bien le seul langage qui nous ait permis de nous comprendre !

— Je pense que les infirmiers sont déjà à leur place, avec les médecins spécialistes dans les loges, au bord de la piste ?

— Tout le monde est prêt...

— Croyez-vous qu'il faut faire une annonce au public avant l'entrée de Michaëla ?

— Il vaut mieux pas. Dernet est d'ailleurs de mon avis. Le public risquerait d'être inutilement impressionné et perdrait beaucoup de sa spontanéité... Et puis n'est-ce pas un public composé en majeure partie de gens de la campagne, fermement décidés à tout trouver admirable ce soir, puisqu'ils n'ont pas payé l'entrée ?

— L'inverse d'un gala où l'on fait payer le triple !

— Exactement l'inverse... Mais c'est aussi un gala ! Savez-vous que pour vous faire plaisir j'ai trié spécialement tous les numéros ?

— Je m'en suis aperçu. Vous ne voulez tout de même pas que je passe ma soirée à vous remercier ? Je l'ai déjà fait... Et il était normal que Michaëla effectuât sa rentrée dans un programme éblouissant !

— Au cas où « l'expérience » ne réussirait pas

répondit indirectement Isabelle, j'ai déjà prévu le remplacement immédiat du numéro par les cyclistes, qui se tiendront prêts à toute éventualité... N'est-ce pas un peu leur spécialité ? Ils l'ont déjà fait après « mon » accident à Paris... Vous vous souvenez ?

— On croirait vraiment que vous éprouveriez une certaine jouissance à ce que l'expérience ne réussît pas ?

— Mes sentiments intimes ne regardent personne, Kier ! Je prévois simplement tout... Vous-même ne m'avez-vous pas maintes fois répété que, dans notre métier, on ne savait jamais ce qui pouvait arriver ?

— Vous avez toujours été une excellente élève... Michaëla est bien annoncée sur le programme ?

— A sa place habituelle... En caractères gras ! Le numéro 18 : *Michaëla Kier, la plus prestigieuse écuyère de l'époque.*

— La seule dénomination qui lui convienne...

— Alors, vous êtes satisfait ?

— Tout me semble en ordre.

— ... Attention ! Ça va être bientôt le moment de votre présentation équestre. Pour vous aussi, c'est une rentrée...

— Oui. Mais tous ces paysans ne s'en préoccupent guère et ils ont mille fois raison ! Ils n'attachent pas à un spectacle plus d'importance qu'il n'en a... Peut-être même croient-ils sincèrement que je n'étais à Vérac que pour y

266

prendre des vacances prolongées depuis deux années.

— Nul n'est prophète dans son pays, Kier !

— Mon pays est le cirque...

— Le mien aussi !

Dernet revenait, essoufflé :

— Impossible de l'habiller ! Elle se débat comme une furie !

— Patron, cela va être à vous, cria un valet de piste.

— Il n'y a qu'une personne, poursuivit Dernet, à pouvoir obtenir qu'elle s'habille en amazone... Vous, Isabelle !

— Moi ? Pour qu'elle m'étrangle pour de bon cette fois ? Ah ! non, merci... Mon rôle dans cette soirée est terminé : vous m'avez demandé de préparer minutieusement le spectacle et de faire dresser le cheval. Ma tâche est remplie. Pour le reste, je laisse libre cours à votre inspiration !

— Isabelle, vous ne pouvez faire cela ! dit Dernet. Vous devez nous aider jusqu'au bout !

— Vraiment ?... Je voudrais poser une petite question à Kier. Admettons que l'expérience, « votre expérience » de ce soir réussisse, quels seront vos projets ensuite, Kier ?

— Mais... Je repartirai avec vous et le cirque dès demain !

— Et Michaëla ?

— Elle reprendra son numéro !

— Jusqu'à sa prochaine crise de démence !

Vous semblez oublier tous les deux que Mme Kier n'est pas encore guérie ! L'une des preuves les plus nettes en est ce refus catégorique de mettre son amazone... Et même en admettant qu'elle guérisse ce soir sous le coup du choc nerveux, que deviendrai-je dans tout cela, moi ?

— Vous resterez toujours avec nous, répondit Kier.

— Non ! S'il n'y a jamais eu de place pour deux femmes dans votre vie, il ne peut pas y en avoir dans le cirque parce que le cirque, c'est votre vie ! J'en ai assez de jouer les doublures !

— Vous refusez donc de raisonner Michaëla ? demanda le peintre.

— Je refuse.

— Patron, c'est à vous ! Vous allez manquer votre entrée, cria la voix de Billy. Votre cheval attend ! On va lâcher en piste les étalons...

Kier ne bougeait toujours pas. Il regardait intensément la paralytique et ne comprenait pas son attitude. Dernet, lui, savait parce qu'il venait de surprendre sur les bout des lèvres de l'infirme un sourire imperceptible et atroce... Elle tenait enfin sa vengeance sur sa rivale ! Elle ne voulait absolument pas que l'expérience ne fût une réussite... Mais le peintre savait aussi que la volonté d'Isabelle était si grande, que son emprise sur les autres était si évidente, que sa maîtrise d'elle-même était arrivée à un tel degré — ne l'avait-elle pas prouvé autrefois lorsque Michaëla s'était jetée sur elle ? — qu'elle restait la seule à pouvoir faire fléchir la volonté butée de la démente. Il n'y avait qu'elle à posséder la force morale capable d'amener le pauvre cerveau à un degré suffisant de compréhension.

— Isabelle, reprit-il tenace, vous ne pouvez ôter à une malheureuse cette chance inespérée, unique, de retrouver la raison !

— Et elle ? Avait-elle le droit de me faire briser les membres ? Aucune expérience ne pourra me les rendre !

— Je vous supplie pour la dernière fois, Isabelle ! dit le peintre. Ne serait-ce qu'en souvenir de ce portrait que j'ai fait de vous quand vous étiez dans toute votre splendeur et que vous aviez aimé... Vous devez rejoindre Michaëla !

Insensiblement, il avait fait pivoter la voiture de l'infirme... Il la poussait maintenant avec douceur, mais avec fermeté, vers la roulotte directoriale où se trouvait Michaëla... Quand ils furent arrivés au pied de l'immense véhicule, Dernet arrêta la petite voiture. Isabelle ne disait rien, les yeux fixés vers un ciel sans étoiles.

— Vous refusez toujours ?

— Ce tremplin qui monte jusqu'à la double porte de la roulotte, finit-elle par dire, a sans doute été installé pour que vous puissiez faire monter ma voiture ?

— C'est une idée de Carl.

— Vous étiez donc tous convaincus à l'avance que j'accepterais ?

— Oui, répondit Dernet, parce que nous savons tous que vous avez du cœur...

Puis il ajouta à voix plus basse :

— ... Pas pour tout le monde bien sûr ! Mais pour Kier, auquel vous avez réservé toujours la meilleure part, la seule qui compte ! Si vous l'adorez vraiment, prouvez-le en faisant ce geste pour lui seul !

— Il ne me l'a pas demandé... Pourquoi s'est-il tu tout à l'heure quand vous me harceliez ?

— Il y a des choses qu'un homme malheureux ne demande pas ! Seulement si vous n'entrez pas dans cette roulotte, je sais que Hermann Kier, le grand Kier ne pénétrera pas en piste à la tête de ses vingt-quatre étalons noirs... Je sais aussi qu'il n'y paraîtra plus jamais ! Et il faut qu'il recommence, pour sa vie d'abord, pour la gloire de tout le cirque ensuite ! Vous comprenez ?

— Uniquement pour le bien du cirque, j'accepte... Mais je veux qu'on me laisse seule en tête à tête avec Michaëla ! Il y a des années que j'attends cette minute où je pourrai enfin lui dire en pleine figure tout le mal qu'elle m'a fait...

— Vous ne ferez pas cela ! Vous l'obligerez

tout simplement à s'habiller et rien d'autre ! Mais comme vous ne pourrez pas l'aider à enfiler la robe, vous ne resterez pas seule avec elle : il est indispensable que Fraülein Greta soit avec vous.

— Non ! Dites à Fraülein Greta qu'elle sorte immédiatement de la roulotte ! Elle attendra dehors comme Carl, comme vous tous, comme les médecins ! Je veux être absolument seule ! Michaëla s'habillera elle-même parce que je le lui ordonnerai !

Dernet fit un signe à Carl, qui entra lui-même dans la roulotte et en ressortit, suivi de Fraülein Greta. Après avoir ouvert à deux battants la large porte de la roulotte, le peintre et Carl poussèrent rapidement la voiture d'Isabelle sur le tremplin. Puis ils redescendirent après avoir fermé la porte derrière laquelle la paralytique et la folle étaient à nouveau face à face... A la même seconde, le grand Hermann Kier, montant un anglo-arabe blanc, faisait sa rentrée en piste, entourée des vingt-quatre étalons noirs pendant que l'ouverture jouait une valse de Vienne...

...Michaëla était assise dans un coin de la roulotte, apeurée... Sur le lit, l'amazone noire, le tricorne, la cravache et les gants blancs attendaient son bon vouloir... Isabelle, immobile dans sa voiture, la regardait fixement : ses yeux étaient de plus en plus durs. Ceux de la démente, au contraire, reflétaient une sorte de candeur ingénue, comme s'ils avaient appartenu à une enfant inoffensive, qui ne comprend pas pourquoi on veut l'obliger à faire quelque chose qu'elle déteste.

Isabelle rompit le silence :

— Il serait grand temps que Votre Altesse s'habillât pour la chasse à courre...

— Mais le prince consort ne m'a jamais parlé de cette chasse ! répondit la folle, étonnée.

— Il ne le pouvait pas, puisque le fils du prince Ruprecht de Bavière vient seulement d'arriver et désire chasser.

— Ah ! Si le fils du prince Ruprecht le désire, c'est très différent !

— Il faudrait que Votre Altesse se hâtât car la chasse va commencer...

— J'ai horreur d'être bousculée ! Où est ma dame de compagnie ?

— Elle est souffrante, Altesse. C'est moi qui la remplace.

— Qui êtes-vous, madame ?

— Quelqu'un que Votre Altesse ne reconnaît pas, mais qui a joué autrefois avec elle...

— Pourquoi restez-vous assise devant moi dans ce fauteuil ?

— Parce que j'ai eu un jour un accident, un terrible accident, Altesse.

— Comme je vous plains !

— Votre Altesse le peut mieux que toute autre... Mais elle me prouverait sa sympathie en s'habillant.

— Cette robe noire est affreuse ! J'aime les couleurs gaies et je veux mon diadème pour aller à cette chasse !

— Votre Altesse l'aura tout à l'heure.

Par la fenêtre entrouverte de la roulotte on entendait la musique de la valse du numéro de Kier.

— Quel est cet air ravissant ?

— Votre Altesse ne reconnaît donc pas une valse ?

— Ah ! oui... La valse... Je crois que le prince Ruprecht les adorait. Pauvre prince ! Ce doit être en l'honneur de son fils. Moi aussi, j'aime la valse... Comment vous appelez-vous ?

— Je suis la princesse Isabelle...

— Comme c'est amusant ! L'autre soir, ma dame de compagnie m'a lu un conte qui se passait dans un pays étrange.. L'héroïne était complètement folle et se faisait passer pour une princesse, la princesse Isabelle ! Ne trouvez-vous pas cela drôle ?

— Très drôle, en effet. Mais Votre Altesse devrait s'habiller... La musique l'accompagnerait de loin : ce serait charmant...

— Ce serait surtout plus gai pour endosser cette triste robe noire. La valse... Oui, peut-être suis-je venue au monde pendant qu'on jouait une valse ?... J'aimerais aussi mourir sur un air de valse... La mort doit paraître plus douce... C'est curieux : pendant que j'écoute celle-ci, j'éprouve le sentiment d'avoir connu dans mon enfance un pays où tout valsait autour de moi : les hommes, les choses... C'était un pays souriant et un pays irréel, comme je les aime ! Vous avez raison, Princesse, je vais essayer de m'habiller sur la valse... Passez-moi la robe ?

— Je ne le peux pas, Altesse.

— Pourquoi ?

— Mes bras sont engourdis depuis long-temps...

— Il ne fait pourtant pas froid !... Cette robe est si lourde... Et la jupe est beaucoup trop longue !

— C'est une amazone.

— Amazone ? Quel joli nom !

Michaëla caressait l'étoffe :

— Il me semble avoir déjà porté une robe semblable à la cour du roi, mon père.

— C'est en effet ce que portent toutes les dames de qualité pour la chasse... Le fils du prince ne sera pas content si Votre Altesse est en retard !

— L'exactitude est la politesse des rois, dit Michaëla souriante.

Et elle commença à s'habiller, vite, comme si elle était prise d'une sorte de frénésie... Quand elle fut dans l'amazone, Isabelle insista :

— Il faut que Votre Altesse l'attache par-derrière.

— Ce n'est pas très aisé. Vraiment vous ne voulez pas m'aider ?

— J'aide déjà Votre Altesse, en ce moment, beaucoup plus qu'elle ne le croit !

— Mais vous pourriez au moins vous lever quand je suis debout !

— Votre Altesse doit m'excuser, mais cela non plus, je ne le puis pas.

— Un autre accident peut-être ?

— C'est toujours le même, Altesse ! Je n'en ai eu qu'un, mais il me suffira largement pour le restant de mes jours...

— Pauvre Princesse !

— Je n'ai que faire de la pitié de Votre Altesse... J'ai horreur qu'on me plaigne ! La plupart du temps ceux qui vous plaignent sont plus malades que vous !

— Cette amazone me va très bien, ne trouvez-vous pas ?

Son Altesse tournoyait sur elle-même en se faisant des révérences dans la glace. Isabelle ne répondait pas : elle ne pouvait s'empêcher de constater à quel point Michaëla était jolie sous l'amazone. Et elle comprenait pourquoi la foule avait été éblouie par l'apparition idéale sur la piste et risquait de l'être encore si le miracle se produisait... Elle eut un serrement de cœur et, confusément, se mit à chérir une pensée monstrueuse : la guérison ne devait pas avoir lieu !

Mais la pensée de Kier l'obsédait aussi. Le regard suppliant — si rare chez lui — qu'il lui avait jeté quand elle avait d'abord refusé à

Dernet de s'occuper de Michaëla, la poursuivait... Pour ce seul geste d'humilité ou de détresse du grand Kier elle sentait qu'elle ferait n'importe quoi, tout ce qu'il lui demanderait, comme si elle était sa servante... Il y avait aussi la gloire du cirque... Cette gloire inégalée dans le monde qu'elle avait réussi à maintenir, à elle seule, depuis plus de deux années !

— Maintenant Votre Altesse doit mettre ses bottes.

— Elles brillent trop !

— Ne doit-il pas en être ainsi de tout ce qui touche à Votre Altesse ?

— Oh ! vous, Princesse, ne brillez guère !

Des larmes perlèrent aux bords des paupières d'Isabelle qui trouva cependant la force de continuer avec calme :

— Ces bottes chaussent très bien Votre Altesse qui n'a plus qu'à se coiffer de ce ravissant tricorne...

— Ça jamais ! Je veux mon diadème !

— Votre Altesse serait infiniment plus gracieuse avec le tricorne...

— Non ! répondit la démente subitement hargneuse. Je ne suis belle qu'avec mes attributs royaux ! Il me faut mon diadème !

Elle trépignait déjà.

— Altesse Michaëla !

— Je ne m'appelle pas ainsi !

— Et s'il me plaît de vous donner ce nom ?

276

poursuivit Isabelle avec calme. Je vous ordonne de mettre ce tricorne !

— C'est moi seule qui donne des ordres ici ! Vous n'êtes là que pour me servir et m'obéir... Le monde entier m'obéit ! Et je ne me coifferai jamais avec quelque chose d'aussi laid !

— Je vous répète, Altesse, que ce tricorne est ravissant. D'ailleurs, j'en ai porté moi-même un semblable...

— Mais vous êtes laide !

— Je ne l'étais pas quand je portais un tricorne, Altesse...

Sa voix devint plus cassante :

— Je vous ordonne, pour la dernière fois de le mettre !

— Je préfère mourir ! répondit, haletante, la démente.

— Alors vous ne voulez vraiment pas me faire plaisir ?

— Je veux bien vous faire plaisir mais sans le tricorne, avec le diadème !

— Vous n'avez pas le droit de porter ce diadème parce que vous n'êtes pas Altesse, mais simplement Michaëla, la petite Michaëla tout court... La blonde Michaëla qui est folle ! Asseyez-vous ! Je l'ordonne ! Oh ! vous pouvez me fixer autant que vous voudrez avec vos yeux qui sont beaux, mais si bêtes ! Je vous hais, vous m'entendez ? Si je pouvais vous tuer en ce moment, je le ferais avec une joie immense car vous avez essayé, vous, deux fois déjà de me tuer, moi !... Je vous étranglerais et ce ne serait que justice ! Ne m'avez-vous pas assassinée physiquement et moralement ? Vous êtes l'unique cause de mon malheur... J'aimais Kier à la folie, et j'étais normale, moi !

Les yeux de la paralytique étaient injectés de sang : seule expression de vie dans le corps inerte, ils témoignaient une effrayante intensité du désir qu'Isabelle avait d'étrangler la folle si elle l'avait pu... Tout son cerveau était tendu par le suprême effort qui pourrait faire affluer, pendant quelques secondes, suffisamment de vie dans ses membres inertes pour commettre le crime... Michaëla, dressée devant elle, la regardait avec ses grands yeux qui essayaient de comprendre... Et, instinctivement, comme si elle fût prise d'une terreur panique devant le regard monstrueux de la rivale qu'elle ignorait, elle se coiffa du tricorne.

— Ah ! Vous l'avez tout de même mis, parce que vous me craignez ! s'écria Isabelle triomphante. Et vous avez raison, pauvre folle ! Si vous pouviez vous voir avec les yeux de l'intelligence en ce moment, vous vous trouveriez pitoyable ! Ridicule aussi avec ce tricorne posé en travers sur vos cheveux que je voudrais brûler car ils sont trop beaux ! Asseyez-vous ! Je l'ordonne... Tenez-vous dans un coin de cette roulotte et ne bougez pas, surtout ! Si vous osiez vous approcher de moi maintenant, je vous cracherais à la figure... Et mon crachat serait du venin qui vous défigurerait à votre tour en vous rendant plus hideuse que moi ! Vous ne vous rendez donc pas compte, stupide créature, que tout ce que je viens d'accomplir ici en vous obligeant à vous habiller, ce n'est pas pour vous, mais pour Lui !

Dehors, anxieux, Dernet, Carl et Fraülein Greta entendaient monter la voix d'Isabelle de plus en plus haut... Ce fut à un tel point qu'ils se ruèrent dans la roulotte où ils trouvèrent la paralytique exaspérée, le visage tordu par un rictus de la bouche, alors que la démente, entièrement habillée pour son numéro, était blottie, terrorisée au fond de la roulotte...

Dernet fit descendre rapidement sur le plan incliné la voiture d'Isabelle, qui se taisait maintenant, prostrée, pendant que Carl et Fraülein Greta entraînaient doucement Son Altesse, qui n'opposait plus aucune résistance, vers les écuries où l'attendait son cheval...

Kier y était déjà, jetant un dernier coup d'œil sur la salle. Un vieux valet de piste, aux cheveux blancs, tenait la bête par la bride : c'était le père d'Isabelle. L'ancien dompteur, fidèle à son poste et au métier, respectait l'écuyère, même si celle-ci n'était plus sa fille... Il lui tendit l'étrier : Michaëla se hissa sans la moindre hésitation. Par la barrière, les accords de sortie du numéro des trapézistes parvenaient, plaqués par bouffées...

— Une excellente salle ce soir... dit simplement Kier à Michaëla en caressant l'encolure de la bête avant d'oser regarder sa femme qui paraissait cependant assez calme, bien que tous ses gestes aient été automatiques... Après l'avoir longuement observée, en silence, Kier se pencha vers le Pr Kleng, qui était à côté de lui, en lui murmurant d'une voix angoissée :

— Nous ne pouvons pas faire ça !

— Calmez-vous, monsieur Kier, répondit le spécialiste en lui tapotant l'épaule. Il ne faut pas offrir à Mme Kier le spectacle de votre propre nervosité... Tout se passera bien, je vous le promets !

— Jurez-le-moi ?

— Je prends l'entière responsabilité de l'expérience. D'ailleurs, nous n'avons plus le droit de reculer, car nous pouvons en tirer un immense enseignement pour les progrès de la science !

Il allait s'embarquer, une fois de plus, dans de vastes explications, mais Kier lui coupa net tous ses effets :

— Assez ! Je vous crois... Toutefois, n'oubliez jamais, monsieur le Professeur, que s'il arrivait la moindre chose à Mme Kier ce n'est pas au directeur de cirque que vous auriez affaire, mais à un mari follement épris de sa femme. Et c'est moi, cette fois, qui vous étranglerais !

Le médecin sentit un frisson lui secouer l'épine dorsale. Malgré cela, il réussit à glisser,

derrière ses lorgnons, un sourire profession-
nel :

— Courage ! Regardez plutôt « notre » belle
écuyère ! Voyez comme elle semble à l'aise sur
le pur-sang... C'est visible : elle est heureuse
de retrouver une atmosphère qu'elle adore... Il
n'a même pas été nécessaire de lui mettre les
rênes en main... Elle les a prises d'elle-même
comme si elle n'avait cessé de monter tous les
matins ! Osez dire que sa position équestre
n'est pas excellente ! Votre regard de connais-
seur en est ravi ! Et vous douteriez ?

— Je ne sais plus... Comprenez qu'elle est
toute ma vie !... Si je la perdais ?

— Ce soir, monsieur Kier, vous la sauvez !
Nous la sauvons tous ! Mes confrères sont
dans les loges en bordure de piste, prêts à
la moindre éventualité... Tout ira bien ! C'est
une idée merveilleuse qu'a eue ce peintre, votre
ami, et...

Il n'eut pas le temps d'achever. Le rideau
de velours s'était ouvert au moment où l'orchestre changeait de rythme et, sur la *Marche*
de Schubert, le cheval de Haute Ecole avait
été lâché sur la piste, happé par les projecteurs, sous un tonnerre d'applaudissements...
Kier avait essayé de courir après le pur-sang
pour tenter de le rattraper par la bride, mais
c'était trop tard : le rideau de piste s'était déjà
refermé. « Le patron » n'avait plus qu'à reprendre sa place habituelle et à regarder par la

fente du rideau : le numéro de Michaëla, alias
« Son Altesse » venait de commencer...

Billy s'était placé à côté de Kier et de Dernet.
Mais ce n'était pas Billy le clown qui ne paraissait pas dans le numéro au temps où Michaëla
l'avait créé à Bruxelles. C'était un Billy en ci-
vil, sans maquillage burlesque, ni crâne piriforme en carton peint... Un Billy sérieux, presque grave, qui dit à Kier :

— Patron, je me rends compte ce soir que
lorsqu'une Michaëla exécute ce numéro, il se
suffit largement à lui-même et que ma présence
ne ferait que le déflorer !

— Billy, si je vous ai introduit un jour dans
ce numéro à Paris, c'était uniquement parce
que je savais qu'une Isabelle ne valait pas
une Michaëla ! Je connais mon métier... Maintenant taisez-vous !

Le pur-sang tournait, exécutant tous les exercices sans la moindre difficulté, sur le seul
accompagnement de l'orchestre. Michaëla, bien
en selle, se laissait conduire, entraîner dans le
tourbillon de poussière et de lumière... La salle
était silencieuse, admirative... Dans les loges,
les spécialistes et les médecins observaient...
Ils attendaient...

— Qu'est-ce qui peut bien se passer dans
son cerveau en ce moment ? souffla le Dr Meruna au Pr Kleng.

— Pas grand-chose, peut-être ! répondit ce
dernier. Regardez-la attentivement : elle exé-

cute convenablement son numéro mais sans goût... Elle n'agit en ce moment que sous l'effet d'une sorte de routine... S'il y a choc moral, il sera brusque ; c'est ce qui en fera d'ailleurs la force déterminante... Attendons et souhaitons ce moment psychologique !

Michaëla tournait sur la piste, dominant réellement, du haut de son cheval, la foule assise. Son regard restait perdu dans le vague et ses rares mouvements de main ou de jambe n'avait aucun contact sensitif avec l'animal qui restait livré à lui-même ou, plus exactement au souvenir infaillible du long et patient dressage qui lui avait été imposé pendant des mois de répétitions. Kleng poursuivit à l'intention des confrères groupés autour de lui :

— Il est certain qu'actuellement un travail inconscient mais quand même prodigieux de mémoire doit s'opérer en elle... Voyez : elle se souvient très bien, sans qu'aucune répétition n'ait été nécessaire pour elle, des gestes essentiels qu'elle devait accomplir autrefois au cours de son numéro...

— Kier prétend qu'on n'oublie jamais de monter à cheval ! répondit le Dr Bleurer.

— C'est une chose possible, mon cher, mais ce remarquable écuyer oublie d'ajouter qu'il a tellement ancré dans la tête de sa femme, avant de la faire débuter en public, l'idée de ce numéro que celle-ci est devenue une idée-force qui bouscule tout !

— Méfions-nous cependant de la mémoire des fous ! déclara le Dr Meruna... Elle n'est pas continue puisqu'il n'y a aucune suite logique dans leurs idées ! Il arrive qu'à certains moments imprévisibles, elle leur revienne dans un éclair vertigineux de lucidité : elle est alors implacable ! Malheureusement, les déments se souviennent beaucoup plus facilement du mal qu'ils croient que nous leur avons fait que du bien que nous voulions leur dispenser !

Le numéro continuait, impeccable, avec la précision d'un mécanisme d'horlogerie sans qu'il y ait encore eu la moindre réaction de la folle... Le pas espagnol avait succédé à la marche d'entrée, pour être lui-même remplacé par la valse... Cette valse qui avait fait la gloire éphémère de Michaëla...

A chacun de ses passages devant eux, les spectateurs des loges et des premiers rangs près de la banquette pouvaient humer le parfum bizarre fait du mélange de la sueur de l'animal et de l'odeur du cuir des harnais frottant contre le poil luisant. A chaque fois c'était un effluve de tout le cirque...

Mais si le pur-sang continuait à accomplir aveuglément — et magnifiquement — son travail, Michaëla, au contraire, se raidissait de plus en plus sur la selle. Tout en étant belle, sa tenue équestre manquait de la souplesse indispensable. La femme aux yeux d'azur restait perdue dans un rêve qui devait l'entraîner loin, très loin dans une chevauchée fantastique, vers des horizons insoupçonnés du commun des mortels... Sans doute se cramponnait-elle désespérément à sa folie des grandeurs avec cette même exaltation qu'avait un Don Quichotte fonçant au galop de charge vers des moulins à vent ?

Le public, lui, ne se rendait pas compte de grand-chose, subjugué qu'il était par l'extraordinaire impression de beauté qui se dégageait de la femme blonde sur son étalon noir... Sensation qui avait empoigné les milliers de spectateurs dès l'instant où Michaëla avait fait son entrée en piste... Même vue des places les plus éloignées, l'admirable silhouette équestre faisait éclater le décor du cirque. Il semblait même que l'immense piste fût trop petite et que le noble animal allait se cabrer pour se débarrasser de ces petites mains gantées de blanc qui l'empêchaient de s'élancer vers des plaines inconnues...

Dernet regardait, lui aussi, avidement. Pour la première fois il voyait, dans sa réalité insaisissable pour une palette, le tableau qu'il avait tant de fois imaginé et fini par peindre avec une Isabelle pour modèle. Ce soir, il comprenait, lui aussi, que Kier avait eu raison de dire : « *C'est Michaëla que vous auriez dû peindre !* » Mais il lui semblait également qu'une souffrance infinie se lisait sur le visage de la plus belle écuyère du monde. Dernet était trop sensible, trop habitué à saisir la moindre expression d'un visage, pour ne pas comprendre qu'un immense drame secret se passait en Michaëla. « Pourvu que le choc nerveux qui va se produire d'une seconde à l'autre — j'en suis sûr maintenant ! — ne soit pas trop fort ! » pensa-t-il dans un éclair, mais il eut à peine le temps d'achever sa pensée... Michaëla venait de s'écrouler et le pur-sang continuait à valser sans se préoccuper de cette écuyère-fantôme dont il n'avait que faire puisqu'on l'avait dressé à se passer d'elle pour exécuter le numéro...

Le pied de la malheureuse était resté accroché dans l'étrier et sa tête labourait la sciure...

La foule s'était levée d'un bloc, hurlante, pendant que Kier se précipitait à la tête du cheval. Les brancards des infirmiers étaient déjà sur la piste pour transporter Michaëla. L'orchestre s'était arrêté.

— Enchaînez ! cria Kier au chef d'orchestre en franchissant la barrière à côté de la civière où gisait sa femme.

Les musiciens reprirent une marche rapide et les cyclistes envahirent la piste devant la salle encore debout... Mais tous ces rudes paysans se rassirent plus vite que ne l'auraient fait des citadins parce que la plupart d'entre eux n'avaient pas réalisé le drame. Certains même crurent qu'il était fait exprès, l'accident, que c'était l'un des « clous » du programme...

Tout s'était produit avec une rapidité insensée. Les médecins étaient au chevet de Michaëla que l'on avait transportée dans sa chambre du château. Mais, dans l'encadrement de la porte, Kier avait réussi à agripper le Pr Kleng et lui disait avec un calme effrayant :

— Vous n'êtes qu'un misérable ! Vous venez de tuer ma femme !

Le médecin, livide, aurait été étranglé si Dernet, Billy et Carl ne s'étaient interposés. Le « grand spécialiste » des maladies mentales était mieux placé que personne pour comprendre que ces énormes mains d'acier qui commençaient à serrer son cou décharné n'auraient pas été longues à tenir les promesses du colosse exaspéré.

Une foule d'artistes et d'employés avait également envahi l'escalier du château.

— La représentation n'est pas terminée ! leur dit Kier. Elle doit être d'autant plus complète ce soir que, pour la première fois au cours de ma longue carrière, j'ai invité tous les spectateurs... Les règles élémentaires de la politesse m'obligent à choyer mes invités. Allez ! Sortez tous d'ici !

— Jamais je n'aurais dû avoir l'idée de cette expérience ! se lamentait Dernet... Vous devez m'en vouloir terriblement, Kier !

— Pas à vous, qui étiez et resterez toujours sincère !... Cette expérience, vous l'avez tentée avec votre bon cœur, Dernet... Vous y avez même risqué notre amitié ! Vous étiez persuadé que tout irait bien et vous rêviez de me voir enfin heureux, n'est-ce pas ? Je serais un piètre individu si je ne soumettais notre affection réciproque qu'à l'épreuve du succès ! Je croyais pourtant, comme vous, avoir tout prévu pour éviter un accident... Moi aussi, j'ai commis une terrible erreur ! Restons quand même amis, Dernet... Ce sera notre dernière force, je le sais !

Après avoir serré silencieusement la main de son vieil ami, il continua avec la même voix calme dont il ne se départissait jamais devant les autres :

— C'est à tous ces médecins, ces beaux messieurs, ces professeurs, ces prétendus spécialistes que j'en veux ! Tous ont été d'accord pour que nous tentions l'expérience ! Mon plus grand tort a été de les croire... Je viens de les renvoyer tous au diable sauf le petit médecin de campagne du pays, le seul qui m'avait déconseillé l'expérience ! Je ne crois plus qu'à lui. Il est auprès de Michaëla en ce moment... Il dit que c'est grave : fracture du bassin, côtes enfoncées, commotion très forte.

— Mais le cerveau ?

— Impossible de savoir pour le moment !... Dernet, voulez-vous avoir la bonté de me rendre un grand service ? Ce serait d'aller surveiller le spectacle et de revenir ici quand il sera fini pour me dire comment tout aura marché. Je ne bouge pas de la chambre.

Le peintre fit sans grand enthousiasme ce qu'il lui demandait et se rendit à nouveau à la barrière pour « doubler » Kier... Derrière les valets à brandebourgs, Isabelle était là, dans sa voiture, à sa place habituelle. Elle surveillait le spectacle, elle aussi... Dernet la regarda furtivement et sentit son sang se glacer... Il n'y avait aucun doute possible : là, dans son coin d'ombre, la paralytique souriait...

REPRÉSENTATION D'ADIEUX

Depuis plus de quinze heures, dans sa chambre du château, Michaëla se débattait entre la vie et la mort. Deux transfusions de sang n'avaient produit que peu d'effet.

Le cirque n'était pas reparti, comme c'était prévu, pendant la nuit. Tous, dans la grande maison ambulante, savaient depuis minuit, la veille, que c'était la fin... La nouvelle s'était répandue, transmise par Billy au nain Ulysse, qui l'avait lui-même communiquée au plus humble des monteurs tchèques :

— La femme du patron va mourir !... Son ex-Altesse est à l'agonie !

Michaëla était réellement devenue son « ex-Altesse » car tous savaient aussi que le miracle s'était enfin produit ! La jeune femme, dont les yeux s'étaient rouverts deux heures après l'accident, avait murmuré faiblement :

— Je vous avais dit, Hermann, que cette selle tournait toujours... Ce n'est pas de votre faute, ni de celle de personne dans le cirque...

— Comment vous sentez-vous ? avait demandé Kier dont l'émotion inscrite sur le visage, trahissait le calme habituel.

— Je souffre horriblement ! Cela ne pourra pas durer : je sens très bien que je n'en ai plus que pour quelques heures... N'ayez donc pas cette figure consternée, Hermann ! Elle n'arrangera rien ! Essayez au contraire de rester le même pendant que je m'efforce de sourire... Il faut que je sois courageuse jusqu'au bout, comme je l'ai été pendant les heures où vous m'avez fait travailler ! Il est même très heureux que je n'en aie plus pour longtemps : ce serait trop affreux de rester dans cet état ! Songez que je ne pourrai plus jamais paraître en piste ! Je ne pourrais pas me faire à l'idée de n'avoir pour seul souvenir de ma carrière sur piste que ce triomphe trop court à Bruxelles...

Ainsi elle avait oublié ses années de folie et de rêves insensés... La guérison cérébrale était certaine. Dernet avait donc eu raison de tenter l'expérience. Malheureusement, c'était le choc physique qui avait été trop rude : au moment même où le cerveau renaissait à la vie, c'était le corps qui se brisait.

Tout cela, le cirque le savait. Depuis la veille, les artistes — dont certains n'avaient même pas pris la peine de se démaquiller — attendaient mornes, dans les salons ou assis sur les marches du grand escalier et jusque dans le couloir qui conduisait à la chambre d'agonie.

Tous avaient déserté leurs roulottes. Le chapiteau paraissait désert, abandonné sur la pelouse du parc... La vie semblait vouloir le quitter avec le grand départ de Michaëla : « La dame du cirque va mourir ! »

C'était la pensée lancinante de chacun mais personne n'osait l'exprimer.

Carl montait la garde devant la porte de la chambre. Kier n'avait pas quitté une seconde le chevet de sa femme. Il était toujours vêtu de son habit noir de piste, avec un plastron défraîchi... Pour la première fois peut-être, il semblait que son regard eût perdu ses lueurs d'acier et que sa force magnétique allait disparaître à jamais avec le dernier souffle de Michaëla.

Les volets de la chambre étaient fermés et le soleil ne perçait que difficilement par les jalousies pour éclairer une décoration trop riche conçue pour « Son Altesse », mais qui n'était plus adaptée à la Michaëla, toute simple et naturelle, qui allait mourir...

Le souffle devenait de plus en plus rauque.

— J'ai soif! haleta la mourante.

Fraülein Greta s'était approchée, avec un peu d'eau. Après l'avoir regardée de ses yeux bleus étonnés, Michaëla fit un effort pour demander :

— Qui est-ce ?

Kier répondit aussitôt :

— Mais... Une infirmière très dévouée !

— Pourquoi s'habille-t-elle ainsi en noir ? remarqua la jeune femme. Ne pensez-vous pas que ce sera bien assez tôt quand je serai morte ? Et je n'aime pas du tout son visage anguleux ! Priez-la de se retirer...

Kier fit signe à Fraülen Greta, qui sortit en silence et se retrouva face à face avec Dernet dans le couloir :

— Comment va-t-elle ?

— Elle ne me reconnaît même pas ! répondit la garde d'un ton pincé. Moi qui l'ai soignée pendant toutes ces dernières années !

— Tant mieux ! ne put s'empêcher de dire Dernet. Cela prouve qu'elle est guérie mentalement et que ses années de démence ne comptent absolument plus pour elle.

Fraülein Greta ne répondit pas et passa, raide, devant la haie des acrobates et des clowns qui attendaient dans le couloir et qui la regardèrent avec une sorte d'hostilité :

— L'oiseau de malheur s'en va ! murmura Billy. Bon débarras !

Dans la chambre, Michaëla venait de demander de plus en plus étonnée :

— Mais où suis-je ?

— ... A Bruxelles ! répondit vivement le Dr Bonhomme.

— Cela, je le sais ! dit Michaëla. Mais pourquoi ne sommes-nous pas à notre hôtel, Hermann ?

— Vous avez été transportée dans une maison de repos charmante, dotée d'un grand parc calme, où vous vous remettrez d'aplomb plus vite.

— Pourquoi mentir, Hermann ?

Puis, s'adressant à l'inconnu, qui venait de lui dire qu'elle était toujours à Bruxelles, elle dit doucement :

— Je pense que vous êtes le docteur ? Répondez-moi franchement : combien d'heures m'accordez-vous encore ?

— Le plus possible, si vous restez sage et ne vous tracassez pas inutilement.

— Ce qui veut dire que je n'en ai plus pour très longtemps ? Dans ce cas, il me reste une chose à faire, très importante : mon testament...

— Vous croyez vraiment que c'est urgent ?

— Oh ! Je sais que je ne possède rien, Hermann... Que ce cirque est à vous et que mon père m'a déshéritée à la suite de notre mariage... Mais je pense avoir quand même le droit d'exprimer mes dernières volontés avant de mourir... Envoyez-moi Carl pour que je les lui dicte et laissez-moi seule avec lui.

Tous se retirèrent dans le couloir au moment où le secrétaire pénétra dans la chambre.

Il y était depuis près d'une heure lorsqu'il ouvrit brusquement la porte :

— Docteur ! Venez vite !

Le visage avait déjà la pâleur de la mort.

— Une syncope, dit le docteur à Kier. L'effort qu'elle vient de faire l'a épuisée.

— Mme Kier, dit Carl, m'a dicté deux choses : son testament et une lettre. Elle demande que le premier soit lu immédiatement après sa mort par Théodore, le doyen des augustes et des artistes sous le chapiteau et sur la piste centrale, où tout le personnel du cirque aura été rassemblé. Quant à la lettre...

Il n'acheva pas, Michaëla avait rouvert des yeux hagards et murmurait :

— Où est mon mari ? Hermann, venez tout près... Il faut que je vous demande encore quelque chose...

Elle parlait de plus en plus difficilement :

— Quelle heure est-il ?

— Cinq heures trente de l'après-midi, répondit Kier surpris.

— A peu près l'heure à laquelle j'entrais en piste en matinée... Mes yeux se brouillent mais je veux quand même que mes derniers instants soient beaux. Ils doivent résumer toute ma vie... L'orchestre du cirque... Faites-le venir sur la pelouse, sous ma fenêtre... Il jouera les airs qui accompagnaient mon numéro jusqu'au moment où j'aurai cessé de vivre...

Kier fit un signe à Carl qui sortit rapidement. Michaëla avait refermé les yeux et continuait à parler très doucement bien qu'elle n'eût même plus la force d'entrouvrir les paupières :

— Rabattez les volets... Je veux mourir en

plein soleil... Vous vous souvenez, Hermann, comme il éclairait et réchauffait le Prater le matin où nous avons fait connaissance ? Il répandait ce jour-là pour nous deux la joie et l'espoir...

Elle ne pouvait plus tarder. Sa tête s'inclina sur l'oreiller au moment où les premières mesures de la *Marche* de Schubert commencèrent à monter, joyeuses, par la fenêtre :

— Mon entrée en piste, murmura-t-elle dans un souffle.

Le docteur s'était agenouillé... Les airs se succédaient : c'était maintenant le paso doble du *Pas Espagnol*, dont le rythme sonore restait imprégné de la lumière du Sud... Kier était toujours debout, immobile, se raccrochant désespérément aux dernières expressions de vie qui émanaient de son seul amour... Dehors l'orchestre préluda la valse... Alors, faisant un dernier effort, la Dame du Cirque parvint avec peine à ouvrir les yeux, en articulant avec peine :

— Voilà enfin « ma » valse ! Je l'attendais pour partir...

Les yeux restèrent grand ouverts, fixes... Le docteur fit un signe, par la fenêtre, à l'orchestre. L'arrêt brusque de la musique fut la triste annonce qui courut dans le couloir, dévala l'escalier, se répandit dans les salons... Le docteur avait ouvert la porte. Dernet entra le premier dans la chambre et il lui sembla que, dans la mort, Michaëla était vraiment une Altesse... Puis il s'approcha de Kier, toujours figé comme une statue gigantesque, pour lui prendre la main en silence, comme il l'avait fait, certain soir, devant la grande cheminée... Billy parut ensuite, bientôt suivi d'Oscar, de Calino, des augustes, des clowns, de tous ceux du cirque. Ce fut, dans la chambre silencieuse, une étrange procession qui alla de la frêle Miss Tanagra au géant belge Dewandre — avec ses deux mètres trente de taille et sa carrure énorme — et des palefreniers aux musiciens de l'orchestre... Si les premiers avaient souvent étrillé le pur-sang de l'écuyère, les seconds avaient toujours interprété avec amour « sa » valse...

Tous étaient dans leurs vêtements de travail : Michaëla ne les aimait que sous ces déguisements. Il leur sembla que, même morte, elle ne continuait à les regarder fixement que pour emporter avec elle dans l'au-delà les images les plus colorées de sa vie.

Au moment de s'incliner devant elle, chacun retrouvait instinctivement sa personnalité de la piste : les difformes paraissaient encore plus mal bâtis, les athlètes gonflaient davantage leurs poitrines, les ballerines étincelaient sous leurs robes à paillettes... Et tout le cortège passait silencieux, sans culbultes, sans musique, comme à ces moments critiques où l'orchestre s'arrête entre deux roulements de tambour parce que l'exercice est très dangereux. Michaëla n'était-elle pas en train d'exécuter l'exercice infernal, qui consiste à passer dans un monde inconnu ?

` Les plus humbles remontaient de la chambre, impressionnés par la contemplation muette du visage d'ivoire de cette Grande Dame dont l'étrange personnalité avait pesé sur toute la vie du Cirque... Cette aristocrate, au succès de laquelle ils ne croyaient pas pendant les répétitions, mais qui avait réussi le miracle de s'imposer un soir à Bruxelles, dès le premier contact avec le public... Une femme prodigieuse pour des gens aussi simples.

C'était aussi l'hommage suprême de ceux qui continueraient à végéter dans le métier à Celle qui avait su s'en échapper en pleine gloire, dans la plénitude de sa jeunesse et de sa beauté, avant d'avoir sombré, comme tant d'autres, dans l'oubli de la médiocrité... Un grincement de roues dans le couloir annonça la voiture de la paralytique qui terminait le défilé... C'était Ulysse, le nain, qui la poussait... Il plaça le véhicule face à la tête du lit pour que Isabelle pût, à son tour, contempler le visage de sa rivale.

Une gerbe de roses pâles recouvrait les jambes de l'infirme... Ulysse les prit et les déposa sur le lit. Toute la chambre fut alors imprégnée par le parfum de printemps...

Dernet observait Isabelle dont le regard d'acier semblait dire :

— Je vous rends hommage, Altesse Michaëla,

le jour où vous disparaissez enfin de mon horizon parce que vous ne serez plus jamais un obstacle à mon amour impossible pour Kier ! J'ai fait cueillir exprès ces fleurs dans le jardin parce que vous avez été, comme elles, trop belle pour être durable ! Et, si je n'avais pas été paralysée par votre faute, j'aurais éprouvé un réel plaisir à les répandre moi-même sur votre corps...

Ulysse fit tourner lentement la petite voiture et Isabelle disparut, le regard perdu au plafond pendant que Dernet ne la quittait pas des yeux.

— Patron, dit Carl, je les fais tous rassembler sur la piste centrale selon le désir exprimé par Mme Kier...

Tous, sauf Fraülein Greta, qui était rentrée doucement dans la chambre pour veiller une dernière fois Son Altesse... Pourquoi, l'ayant surveillée pendant les dernières années de sa vie, ne continuerait-elle pas dans les premières heures de sa mort ?

Kier, accompagné de Dernet, venait de pénétrer sous la grande tente du cirque. Tout le monde était là, en demi-cercle, sur la piste centrale... Carl dit quelques mots à l'oreille de Théodore, le vieil auguste bégayeur, qui ouvrit en tremblant l'enveloppe qui venait de lui être remise. Et, dans un silence absolu, la voix cassée par les hurlements joyeux du charivari commença la lecture :

Ceci est mon testament...

*Mes amis, je n'ai pas grand-chose à vous lé-
guer en dehors de mon amour de ce métier
admirable qui est le vôtre... Continuez tous à
l'aimer en souvenir de ce que j'ai pu incarner
pour vous. Je vous demande aussi d'essayer de
ne pas oublier trop vite ma première apparition devant ce bon public de Bruxelles, voici
une dizaine de jours... Mais rappelez-vous que
ce ne sera pas quand vous serez au faîte de la
gloire ou du succès, comme cela vient de m'arriver, qu'il faudra être satisfaits. Vous devrez
perfectionner sans cesse votre numéro, pour
qu'il devienne un art véritable dans son genre.*

*Je crois dans votre destinée à tous tant
qu'elle restera solidaire de celle de Hermann
Kier, mon mari, et je ne veux surtout pas que
vous soyez tristes ! Disparaître jeune est ce
qu'il y a de plus beau au monde ! Je n'ai pas
eu le temps de me voir vieillir... Ce soir, vous
jouerez comme d'habitude : je vous le demande... Comme vous tous j'ai horreur de ce
mot lugubre : « RELACHE » ! Vous paraîtrez en
piste avec tout votre cœur et avec toute votre
joie en pensant que, de là où je suis à présent,
je vous regarde... Vous, les acrobates qui évo-
luez dans les airs ! Je ne suis plus tellement
loin du ciel, donc plus près de vous qui essayez
de vous rapprocher des étoiles... Vous, les
clowns, qui roulez sans cesse dans la poussière*

pour faire rire les gens tristes, je serai aussi dans le tapis qui amortira vos chutes quotidiennes... Vous, les funambules, qui vous balancez en souriant sur un câble tendu au-dessus du vide et dont le numéro rappelle étrangement l'existence des hommes ; cette vie qui ne tient qu'à un fil puisqu'elle n'est faite que de risques et d'espoirs, d'équilibres perpétuels et de déceptions ! Vous n'éprouverez plus le vertige mortel car vous aurez l'impression que je vous tends la main à l'extrémité du câble... Vous, les Tchèques, mes humbles amis qui travaillez seize heures par jour pour monter et démonter sans cesse ce chapiteau réservé aux prouesses des autres. Quand vous peinerez en vous agrippant aux cordes rugueuses qui vous laissent les mains en sang, vous sentirez que votre labeur sera moins dur parce que le sommet de la tente se hissera peu à peu vers les lieux où j'espère habiter... Et quand l'heure de mon numéro arrivera, il faudra offrir à la foule quelque chose de très drôle et de très gai pour le remplacer : un numéro nouveau qui fasse que le public ne regrette pas de n'avoir pas vu ce que je faisais et ne se doute même pas que, la veille encore, j'aurais pu l'étonner...

Je laisse à mon mari mes instruments de travail qui furent ma selle d'amazone, ma robe, mon tricorne, mes bottes, ma cravache, mes éperons... Peut-être pourra-t-il constituer avec tout cela une sorte de petit musée — pour lui seul — qui lui rappellera le numéro dont il restera toujours le seul créateur.

Je lui demande aussi de continuer à faire travailler mon cheval qui est bien dressé maintenant. Il faudra pour cela qu'il oublie ma réussite et qu'il essaie de former une nouvelle écuyère qui n'aura pas tous mes défauts qu'il eut tant de mal à corriger !

Enfin je demande pardon à tous ceux à qui j'ai pu faire la moindre peine et je tiens à préciser que ces dernières volontés ont été dictées par moi, en pleine lucidité... Je veux être enterrée dans ma ville natale, à Vienne ; non pas dans le caveau de ma famille, mais dans le cimetière qui entoure la petite église située sur le Prater et d'où j'ai vu sortir un jour une mariée radieuse...

Michaëla Kier, née Pally, à Bruxelles, le 11 avril 1931, jour de ma mort.

La lecture était terminée : de grosses gouttes de sueur perlaient sur le front plissé de Théodore. Les assistants se retirèrent en silence. Carl s'approcha :

— Patron, que dois-je faire de la lettre que m'a dictée également Mme Kier ?

— A qui est-elle adressée ?

Carl tendit la lettre sans répondre et Kier lut sur l'enveloppe : A remettre à mon père, le baron Pally, après ma mort.

— Vous savez aussi bien que moi, Carl, que

le baron Pally est mort trois ans après le départ de sa fille. Mais, à cette époque, Michaëla était déjà enfermée à Hambourg et ne l'a jamais su. Depuis elle n'a jamais eu assez sa tête à elle pour que je puisse le lui annoncer... Je garde cette lettre.

Carl s'était retiré, laissant Kier seul sous le chapiteau. Après s'être assis sur le bord de la banquette rouge, « le Patron » décacheta l'enveloppe et lut :

Père,
Vous vous souvenez sans doute de la lettre que je vous ai laissée le jour où je vous ai quitté ? Ce même soir j'abandonnais Vienne pour toujours... Vous n'avez pas dû oublier non plus notre dernière rencontre à Budapest ? Depuis, je vous ai souvent écrit et vous ne m'avez jamais répondu... Pourquoi avez-vous été si dur, Père ? Je sais que je suis partie sans trop réfléchir mais je pensais avoir toute la vie devant moi pour le faire... Je me suis trompée ! J'aurais voulu vous revoir une dernière fois, vous avoir auprès de moi en ce moment avec mon mari... N'auriez-vous pas incarné chacun une raison de ma vie : l'orgueil de ma race personnifié par vous et la fierté de mon travail, représentée par Hermann ? Mais Dieu ne l'a pas voulu. Dieu a toujours raison ; j'ai été trop gâtée par l'existence ! « Ma fille est si jeune pour mourir ainsi. Ce n'est pas juste ! » pen-

serez-vous peut-être ? Mais vous auriez tort !
Songez que j'ai pu réaliser le rêve que Hermann m'avait mis en tête ! Combien de femmes
meurent très âgées sans avoir pu atteindre la
moindre parcelle de leur idéal ? Donc je ne
regrette rien !

Si j'ai épousé Hermann Kier, c'est uniquement parce que j'ai eu pour lui et pour son
travail une immense estime. Et je crois qu'à la
longue, j'aurais fini par l'aimer... Seulement,
pour y parvenir, il me fallait plus de temps
qu'il n'en a demandé, lui, pour mettre au point
mon numéro ! Je l'ai quand même épousé parce
que c'est un homme droit et bon.

Si je vous fais cet aveu de la toute dernière
heure, père, c'est pour que vous ne croyez pas
que je vous ai délaissé pour une banale fugue
amoureuse ! Quand je suis partie, je vous aimais
toujours autant mais je savais, hélas, que vous
n'arriveriez jamais à comprendre qu'une fille
unique puisse continuer à adorer son père,
même si elle l'a quitté pour essayer de devenir
« quelqu'un » par elle-même. Les parents ad-
mettent rarement ce sentiment !

Je vous quitte aujourd'hui, père, pour un
voyage beaucoup plus long que tous ceux que
j'ai accomplis avec le cirque... Voyage que vous
ferez, vous aussi, pour me rejoindre. Ne finis-
sons-nous tous pas, un jour, par être des gens
du voyage ? Je suis certaine que nous nous retrouverons, vous et moi, tels que nous nous

sommes toujours connus : vous avec votre passion pour le jeu d'échecs, moi avec mon goût de l'aventure ! Pourquoi un monde, supposé meilleur que celui où nous avons vécu, supprimerait-il les quelques joies qui nous donnaient une raison de vivre ?

Au revoir, père ! Croyez bien que ma lettre n'est pas celle d'une exaltée, mais d'une femme qui reste toujours respectueuse de celui à qui elle doit la vie. Bientôt j'aurai enfin retrouvé Maman... Pauvre mère, dont vous m'avez si souvent dit que l'on avait dû la faire enfermer parce qu'elle était devenue folle à la suite de ma naissance. Je trouve que j'ai eu encore beaucoup de chance de ne pas subir son atavisme et de rester saine d'esprit.

Il y a certainement au paradis une place de choix réservée pour les mamans qui sont mortes trop tôt... Ce ne sera pas moi qui la reconnaîtrai mais elle, qui m'attend et qui me tendra les bras, malgré sa folie, pour me dire d'une voix très douce que je n'ai jamais pu entendre : « Michaëla, ma petite fille, viens vite te blottir auprès de ta maman qui t'a toujours manqué ! » Et même si elle devait rester démente pour l'éternité, je sais que je l'adorerais... Père, je vous embrasse avant de mourir.

Michaëla.

Kier restait hébété, abasourdi par la lecture de la lettre qu'il déchira lentement : la corres-

pondance entre deux morts est tout juste bonne
à s'éparpiller dans la sciure d'une piste... Il
était encore prostré quand une voix lui cria de
la barrière :

— Je vous amène une visite...

C'était Dernet qui poussait la voiture d'Isabelle. Dès qu'ils furent auprès de lui, le peintre dit :

— Je vous laisse parler « métier » tous les
deux. Il y a des moments, dans la vie, où une
telle conversation est nécessaire !

Les yeux de la paralytique brillaient d'un
feu qui la dévorait :

— Patron, commença-t-elle résolument...

Kier, surpris par cette appellation dans la
bouche d'Isabelle, releva la tête.

— Patron ! J'ai écouté, comme tous les autres, la lecture du testament... Il s'en dégage
que vous avez une mission à remplir : former
une nouvelle écuyère. Michaëla vous l'a expres-
sément demandé par écrit. Je suis prête à vous
aider dans cette tâche...

« Je n'y ai aucun mérite ! Regardez un seul
instant ce rond de piste : toute notre vie y est
inscrite, à vous et à moi ! Pendant le récent
passage du cirque à Florence, j'ai découvert, un
matin où Billy me promenait dans la ville, une
très belle amazone... J'ai aussitôt envoyé Billy
lui demander son nom et son adresse. Elle appartient à une grande famille, comme Michaëla
et se prénomme Mafalda... Je dois dire que

l'idée de se joindre à notre cirque n'a pas semblé lui déplaire... Aussi ai-je pris sur moi de lui câbler à l'instant pour qu'elle veuille bien nous rejoindre dans trois jours à Montauban. Le plus tôt commenceront les nouvelles répétitions et mieux ce sera ! J'ai choisi intentionnellement cette jeune femme, parce que je sens que vous aurez toujours le cœur et l'esprit remplis d'une Michaëla... Il m'a paru indispensable que sa remplaçante fût du même monde qu'elle et non pas du nôtre. Il y a en vous un besoin impérieux de faire travailler quelqu'un qui se donne entièrement à la piste par goût et non par nécessité ! Il vous faut une matière « noble » dont vous tirerez un nouveau miracle équestre... Cette Mafalda est racée. A nous deux, nous parviendrons bien à lui insuffler un amour du Cirque aussi grand que l'était celui de Michaëla... Allons, levez-vous, Hermann Kier ! Redressez-vous ! Vous n'êtes pas fait pour rester ainsi prostré, mais pour créer ! Conduisez ma voiture vers la barrière...

Il obéit, comme électrisé... Après avoir redressé une fois de plus sa haute taille, il ajusta son monocle et commença à pousser lentement la voiture à travers le rond de piste... Au moment où ils allaient franchir la barrière, elle dit sèchement :

— Ce soir, nous ne ferons pas relâche pour respecter les dernières volontés de la défunte... Nous donnerons donc une deuxième représentation dans ce parc, mais payante cette fois ! Hier soir nous avons dû refuser tant de spectateurs qui voulaient payer que nous serions stupides de négliger une belle recette !

Et, comme il la regardait, ahuri, elle ajouta :

— J'ai déjà donné les ordres nécessaires. Quand la représentation sera finie, nous plierons nos tentes à minuit trente, comme d'habitude...

TABLE DES MATIÈRES

ROMANS-TEXTE INTÉGRAL

J'AI LU LEUR AVENTURE

L'AVENTURE MYSTÉRIEUSE

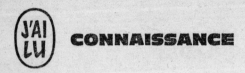

CONNAISSANCE

C/2 TOUTE L'HISTOIRE, par HART-MANN et HIMELFARB
En un seul volume double, de 320 pages:
Toutes les dates, de la Préhistoire à 1945.
Tous les événements politiques, militaires et culturels.
Tous les hommes ayant joué un rôle à quelque titre que ce soit.
Un système nouveau de séquences chronologiques permettant de saisir les grandes lignes de l'Histoire.

C/4 CENT PROBLÈMES DE MOTS CROISÉS, par Paul ALEXANDRE

LE TALISMAN, de Marcel DASSAULT

EDITIONS J'AI LU
31, rue de Tournon, Paris VIe

Exclusivité de vente en librairie:
FLAMMARION

Imprimerie Union-Rencontre - 68 Illzach - 4967/274
Dépôt légal: 1er trimestre 1971
PRINTED IN FRANCE